三島由紀夫は蓮田善明の後を追った

——開かれた皇室への危惧

［元楯の会五期生］
村田春樹

展転社

大日本帝國陸軍少年飛行兵
大韓民國空軍大佐
故崔三然先生に捧ぐ

まえがき

平成十三年（二〇〇一）四月、長かった地方勤務を終え東京本社に転勤してきた。当時、保守系月刊誌を愛読しており、登場する著名知識人らの講演会に毎週のように足を運び、楽しんでいた。三年後、五十三歳で関連会社に出向、赴任してみると絵に画いたような閑職。当時「外国人参政権」が実現寸前まで行っており、これ幸いと仲間と街宣活動やらデモ行進やらを始めた。勤務時間中も活動にこれあい勤めたものである。平成二十三年（二〇一一）三月、六十歳となり待ちに待った定年。この頃「自治基本条例（外国人参政権の地方自治体バージョン）に反対する会」の会長に就任、同時に「プロ市民」になること宣言した。爾後十二年間、活動とは名ばかりで保守業界を右往左往してきたものである。

この間、平成二十六年『日本乗っ取りはまず地方から！恐るべき自治基本条例』、平成二十七年『三島由紀夫が生きた時代―楯の会と森田必勝―』、平成三十年三月『ちょっと待て！自治基本条例　まだまだ危険、よく考えよう』（以上青林堂）を出版し、幸いいずれも完売した。

平成三十年四月に展転社から発売した『今さら聞けない皇室のこと』が最近漸く初版が完売し、同社から増補版のお話を戴いた。

ほぼ同時に、アパホテルグループの日本再興財団が主催する第十六回懸賞論文に「三島由紀夫と蓮田善明―二人はあの大戦を熱烈に肯定していた」と題する小論を応募したところ、幸い佳作に入選した。この懸賞論文を大幅に加筆したものを第一章に配する。

三島由紀夫先生に関しての書物は文字通り汗牛充棟、いや無数と言って良い。しかし、大東亜戦争の間の先生の言動について語られたものは少ない。

また、三島先生が師と敬い兄と慕った蓮田善明とその自決が、いかに三島先生の自決に大きな影響を与えたか、これを論じたものも寡聞にして知らない。蓮田善明の自決を語らずして三島先生の自決の本質を穿つことはできない。この偉大な二人の自決を及ばずながら語りたいと思う。

なお筆者は元楯の会会員（五期生・最年少）である。わずか十ヶ月だが三島由紀夫隊長の謦咳に接した隊員として、いまだに「三島由紀夫」と呼び捨てにはできない。文中で「先生」と呼ぶことを読者は諒とされたい。

第二章以下にはこの十二年間で業界団体の機関誌等に書いてきた文章の主なものを配した。そしてまったく新たな五冊目の「短編集」として梓に上せる運びとなった

この十二年間、怯懦怠惰な私を公私に亙り指導し励まして戴いたのは、崔三然先生である。

この書を編んでいるさなか、三島由紀夫先生、森田必勝さん、そして崔三然先生の三人が我が脳内を駆け巡っていた。この興奮の一部でも読者に伝われば望外の喜びである。

目次

第六章　皇室

第七章　時事雑感

装幀　古村奈々 + Zapping Studio
カバー写真　三島事件。バルコニーで演説。
ANP scans 8ANP 222), CC BY-SA 3.0 NL,

第一章　三島由紀夫と蓮田善明——二人はあの大戦を熱烈に肯定していた

蓮田善明の軌跡

善明の父

蓮田善明（以下失礼ながら善明）は明治三十七年熊本の金蓮寺の住職の三男として生れる。父慈善は明治六年に征韓論澎湃と起こると居てもたっても居られず、袈裟と数珠をかなぐり捨てて士官に応募合格した。しかし征韓論は破れ、士官の道は閉ざされた。軍人への思い黙しがたく、下士官として東京鎮台の軍曹となった。この半年後に故郷熊本では敬神党、所謂神風連の乱が起こった。そして翌明治十年、西南戦争で慈善は政府軍の一員として熊本で奮戦、敵の士官の首を取る殊勲を挙げた。しかしその後の激闘で負傷し、野戦病院に入院した。十二年二月に免官となり、帰郷して小学校の校長になった。この父慈善の資質が善明に大きく遺伝したことは間違いない。

善明の生い立ちと神風連

善明が小学校三年の時、訓導（教諭）淵上卯作（当時十六歳）は試胆会を催した。腕白少年数十人の参加を見たが、高学年が脱落する中、肝試しを果たしたのは善明只一人だった。十六歳の少年教諭は善明のいがぐり頭を撫でてあげたそうだ。善明は県立中学済々黌に入学したが、そこで教師石原醜男の薫陶を得た。石原の父石原連四郎は神風連の乱で自刃、母は殉死している。善明ら少年が授業中幾度となく神風連の戦いを、胸躍らせて聞いていたことは想像に難くない。善明は後に昭和十七年「文藝文化」に「神風連のこころ」を草したが、その中で恩師石原先生について「非常に清らかな、そして絶対動かせない或るもの、今日まで指し示すものとなっている」と思慕の情を込めて述懐している。

そして、「私ども中学の子どもであったとき、神風連一党の墓地桜山に参拝したことが或る。それは学校として参拝したのであるが、石原先生のなにか異常な慷慨に引きずられて其処にいって拝まされたような、妙な印象が或る」と懐かしんでいる。

諏訪中学校教諭時代の蓮田善明

善明は中学入学以来同人誌を主宰して創作活動に励み、国文学者を目指していた。

国文学者へ

昭和二年、二十四歳で広島高等師範学校を卒業、岐阜第二中学に赴任、ほぼ同時に故郷の医師の長女敏子と結婚。昭和五年、翌年、諏訪中学に転勤。昭和五年、二十七歳で男児晶一を得る。

当時、高等師範学校卒では中学校の教師までにしかなれず、善明は一念発起して大学を目指す。七年、広島高等師範の後身の新設広島文理科大学の入学試験に一番で合格した。ときまさに満洲事変の真最中である。この大学三年間、別居していた妻への手紙が残されている。読んでいて赤面するほどの熱烈な恋文と言って良い。

昭和十年に卒業、台湾の台中商業の教諭となる。

台中商業で国語教師をしていた俳人阿川昔が、

国語科主任が辞めたので自分が昇格するものと思っていた矢先、校長から「素晴らしい人が内地から来る」と言われ、内心穏やかでなかった。しかしその人が蓮田善明氏と聞いて驚いた。既に同氏は「国語と国文学」に論文を発表している。この高名な学究が台湾くんだりまで来るのは本当かと疑った。

職員室で「なぜ先生のような方がこの学問に不適な台湾なぞに来られたのですか」と尋ねた処、先生は即座に「文理大で費やした借金を返す為ですよ。」と笑ってこたえた。（「果樹園」昭和四十四年二月号）

当時、朝鮮台湾等で働く官公吏の俸給は、外地手当がつき、内地の一・五倍から二倍近かったのだ。毎月二十五円ずつ三年間で七百円の借金を完済した善明は、昭和十三年四月、勇躍成城高等学校（旧制私立七年生高等学校、戦後成城学園大学）教授として赴任し、世田谷区祖師ヶ谷に家族四人で居を構えた。四月十一日の日記を見よう。

仕事が愈々多くなってきた。日本文学の会と成城と。しかし成城の方は第二とせねばならぬ。沢柳氏の精神はややもうろうとしてゐる。（略）日本文学の会、勢ひづいてきた。この勢ひを生かさねばならぬ。少数の力ではあるが、こんな仕事をめざしてゐる国文学者はない。名だけではない、日本学を樹立せねばならない。宣長の学を検討し、先生の学を打ち出す。先生中心にしてやつてゆける。

七月には、日本浪曼派系国文学雑誌月刊「文藝文化」を創刊した。当時三十四歳、さぞかし意気軒昂だったことであろう。

一度目の出征

しかし十月十七日、成城高校の運動会の最中に召集令状を受け取る。このことは直ちにマイクをもって場内に伝えられ、競技は中断されて満場の拍手と歓呼が善明に送られ、善明もまたマイクを通して生徒同僚に応召の挨拶をした。鋭い横顔に莞爾とした笑みを含んでいたと言われている。

翌日出発し、二十日に熊本の歩兵第十三聯隊第二中隊の歩兵少尉として入隊。小隊長として支那大陸を転戦する。

硝煙弾雨のなか万葉集を誦し、塹壕（ざんごう）の中で蝋燭（ろうそく）の灯りで「古事記」と「源氏物語」を筆写するのを楽しんでおり、まさに「みやびが敵を討つ」という日々だった。「文藝文化」他の文学誌の原稿を多数執筆し、文武両道そのものであったのだ。蓮田小隊長は勇猛果敢豪胆にして兵隊思い。兵のなかには「小隊長となら死んでも良い」と言い出す者もいたという。

昭和十五年九月、湖南省洞庭湖東部汨羅付近の渡河作戦で、先祖伝来、加藤清正公陣中と伝わる長刀を振るって「突撃前へ！」と絶叫して自ら先頭を疾駆（しっく）したが、振り上げた右手に貫通銃創を受け野戦病院へ。このとき血まみれの善明を診た軍医は、なんと善明が小学校三年の時「肝試し」をして善明を褒めてくれた訓導の淵上卯作であった。淵上は一念発起して医師になり応召して軍医となっていたのだ。

丁寧に診療してもらった善明は十二月末に帰郷。この間左手で原稿を多数書き発表している。除隊して成城高校の教授に復職。「文藝文化」主宰者として健筆を揮う。この頃が善明の短い人生の最高の輝きであったことだろう。

そして十六年、三島先生と運命の出会いを果たすのである。

蓮田善明、三島由紀夫の出会い

処女作が月刊誌「文藝文化」に

三島由紀夫（本名平岡公威）先生は大正十四年一月生れ、従って満年齢と昭和の年号とが一致する。つまり昭和十六年には十六歳、四十五年には四十五歳である。学習院中等科入学の頃から夥しい詩歌作文を為していた。

昭和十六年四月、中等科五年に進級した三島先生は、七月に小説「花ざかりの森」を書き上げ国語教師の清水文雄に原稿を郵送した。清水は「私の内にそれまで眠っていたものが、はげしく呼びさまされ」るような感銘を受けた。清水は所属する「文藝文化」の同人たち（蓮田善明、池田勉、栗山理一）にも読ませるため、伊豆修善寺温泉の新井旅館での一泊旅行を兼ねた編輯会議に、その原稿を持参した。「花ざかりの森」を読んだ彼らは、「天才」が現われたことを祝福し合った。「花ざかりの森」は直後の同誌九月号から四ヶ月に亘り連載された。九月号に善明が評を書いている。

「花ざかりの森」の作者は全くの年少者である。どういふ人であるかといふことは暫く秘しておきたい。それが最もいいと信ずるからである。もし強ひて知りたい人があつたら、われわれ自身の年少者といふやうなものであるとだけ答へておく。この年少の作者

室戸台風直後の会合（昭和９年９月21日）
左から清水文雄、池田勉、栗山理一、蓮田善明

は、併し悠久な日本の歴史の請し子である。我々より歳は遥かに少ないがすでに成熟したものの誕生である。此作者を知つてこの一篇を載せることになつたのはほんの偶然であつた。併し全く我々の中から生まれたものであることを直ぐ覚つた。さういふ縁はあつたのである。日本にもこんな年少者が生れて来つつあることは何とも言葉に言ひやうないよろこびである、日本の文学に自信のない人たちには、この事実は信じられない位の驚きともなるであらう。

悠久な日本の歴史の請し子！　これ以上の賛辞があろうか。まさに激賞である。十六歳の三島先生は当時三十七歳の著名な国文学者から、かくも称賛されどれほど感激したことだろうか。

ついでだが、このときに清水文雄と三島先生との話し合いで、修善寺近くの三島駅と雪を冠った富士山にちなみ「三島由紀夫」を筆名と決めたのである

こうして三島先生は中等科五年生（今の高二）の若さで「文藝文化」の同人として迎え入れられ、善明との交流が始まった。

大東亜戦争開戦

半年後の十二月八日、開戦の感激を蓮田善明は日記に書いている。

十二月八日感動の日、恐らくは悠久三千年の日本の歴史の中にもこれと同じ感動を数へ得ることは多くはない。一切の鬱情は此の日より大和の国から掃ひ去られた。此の日に生れ合せた、而も、いまだ壮年にして此日に会つたよろこび、涙が出てしかたがない。『天の石位をはなち天の八重棚雲を押し分けて』といふ感じ。『六合を兼ねて都を開く』といふ感動である。雄大な創業の日――。

つまり大東亜戦争は、古事記の瓊瓊杵尊が「天の石位をはなち天の八重棚雲を押し分けた」天孫降臨の時と、日本書紀の神武天皇東征六年畝傍山の東南の橿原にて「六合を兼ねて都を

開き、八紘を掩ひて宇と為せ」と宣明された鴻業の時、この二つに続く有史以来三番目の創業であるとして讃え、そして三十七歳の壮年でこのときを迎えた感激を語っているのだ。同時同じくして三島先生は開戦の感想を「文藝文化」十七年二月号に書いている。

「大詔」
やすみししわが大皇の
おおみことのり宣へりし日
もろ鳥は啼きの音をやめ
もろ草はそよぐすべなみ
あめつちは涙せきあへず
寂としてこゑだにもなし
（中略）よろこびの声もえあげずただ涙すも
右の一首者三島由紀夫作之

この詩を善明は後記で「あの日のうたとして冠絶であらう」と絶賛している。同時期に善明は知人への書簡にこの頃の気持ちを書いている。

大東亜戦に対する所感　昭和十七年一月十七日
前略しかし大東亜戦の勃発は我々にとつて、歴史的必然性といふもののすべてを超越する国民的感激であつたことも、亦万々否定し得ない事実である。今度の戦争が過去の緻密必然な基ゐの上に、きはめて自然にひらいた結果であることが事実であると同時に、又、すべての預言や、過去の原因やを、超えきつた純一無垢の戦争であることも覆へぬ事実なのである。（略）こと程左様に、大東亜戦勃発がまがふ方なき、歴史的必然性の開花であるとしても、それをどこかで反撥したものは、さういふ客観的理解の方法を執らずとも我々は全霊をもつて、感覚的にそれを感受した、といふ国民的感激だつたのである。

さらに善明は「文藝文化」昭和十七年三月号後記に以下のように書いている。

二月十五日夜、今、校正中シンガポール降伏の臨時放送。何とも身の置きやうなく、ありがたくて唯涙もて拝みまつる。今日昨夜よりの雪深く満目潔し。（略）録音放送による、シンガポールから帰還した夫人の感想談を聞いてゐると、馬来人の使用人が「なぜ私どもには天皇陛下がいらつしやらないのでせうか」と言つてゐたといふのを聞いて、私は嗚咽とどめがたく、この文字さへ見えない。

月明の夜の斬り込み

昭和十七年四月、学習院高等科に進学した三島先生は、翌五月マダガスカル島とシドニイ湾での特殊潜航艇の奮戦の報を聞いて感激し、六月五日清水文雄あてに葉書を出した。

ただいま午後七時半、マダガスカルとシドニイへの特殊潜航艇の攻撃のニュースをききをはりこのお葉書を書いてをります。なんだか胸になにか閊へたやうで　とても並大抵のことばでお話できさうにもございません。御稜威のありがたさに涙があふれおちるばかりでございます。同時に晴朗な気分は抑へがたく、南方のまつ青な穹いつぱいに八百万神の咲ひ声をきくおもひがいたします。

マダガスカル島に進出した英軍を我が海軍は攻撃。潜水艦伊二〇から発進した特殊潜航艇は雷撃に成功したが、座礁したため、艇長の秋枝三郎大尉（二十五歳）と竹本正巳一等兵曹の二名は島に上陸、英軍による降伏勧告を拒否し、月明かりの下白刃を振るって斬り込み両名とも壮烈な戦死。英軍は死傷者六人。

シドニイ湾攻撃はやはり特殊潜航艇によるもので、こちらは二隻とも自爆した。しかし豪海軍の司令官グールド少将は松尾敬宇大尉（二十五歳）ら四名を海軍葬で礼を尽し、葬儀のあとラジオで演説し、豪州国民に訴えた。

このような鋼鉄の棺桶で出撃するためには、最高度の勇気が必要であるに違いない。これらの人たちは最高の愛国者であった。我々のうちの幾人が、これらの人たちが払った犠牲の千分の一のそれを払う覚悟をしているだろうか」

三島先生はこの特殊潜航艇の奮戦を昭和四十三年発表の「文化防衛論」にも書いている。

文化とは、能の一つの型から、月明の夜ニューギニアの海上に浮上した人間魚雷から日本刀をふりかざして躍り出て戦死した一海軍士官の行動をも包括し、又、特攻隊の幾多の遺書をも包含する。

三島先生はさらに清水文雄に宛てた葉書に、

「文藝文化」落掌いたしました。まことに有難う存じました。五月三十一日の朝ぼらけと思ひあはせ、ただただありがたくぞんじました。

昭和十七年四月号の「文藝文化」後記に善明は書いている。

今夕の大本営発表はスラバヤ沖バダビヤ沖海戦の大戦果を報じてゐる、水雷戦隊雷撃機隊の猛進猛撃ぶりを思ふにつけ我々の文章又一文夷戦艦を必殺に屠るの覚悟を有する。つつしんでさう思ひ自戒とする。

軍人会館での獅子吼

善明は十七年六月十八日、日本文学報国会結成大会（於・軍人会館今の九段会館）の壇上で「古典の精神による皇国文学理念の確立」と題して講演している。これは当時のリベラルな文学者連中の間では「悪名高い」事件である。この時、善明は机を叩いて獅子吼し、並み居る島崎藤村、菊池寛、石川達三ら関係者の度肝を抜いている。その場に出席していた日本浪曼派の伊藤佐喜雄が書いている。

石川達三氏が登壇して「われわれ文学者も、おおいに国策協力の線に沿って、作品活動をしなければならない」という趣旨の発言をした。次いで蓮田さんが登壇した。短躯ではあるが、きっちり国民服に身を包んで、堂々と胸を張った姿は、国文学者というよりも、やはり精悍な軍人の印象が強かった。蓮田さんは冒頭素戔嗚尊の長歌を朗唱し、直後席に座っている石川氏をいきなり指さして、「いまの石川氏の発言には、自分は賛成できない。」と大喝した。古事記に或る素戔嗚尊のように「青山は枯山と哭き枯らす」ほどの壮大な文学こそいま生れなければならないのだ、と力説したのである。

壇上で机を叩いて睥睨叱咤する善明自身が、右腕に名誉の戦傷を負っている勇者である。誰が異を唱えるだろうか。この演説が終わったとき、拍手どころか満場寂として声なく、左翼的冷笑的な人民文学の連中は顔面蒼白だったそうである。爾後文学者の世界では善明を「激越な神がかり的慷慨家」と冠して呼ぶようになったそうである。この「悪名高い事件」だけを捉えると、善明はゴリゴリの国粋主義者、軍国主義者だったかのように思えるだろう。しかしそうではない。遡ること四年、台湾在住の三年目の最後、十三年二月善明は日記に「人民戦線事件」ついて書いている。

人民戦線事件とは昭和十二年十二月（第一次）および昭和十三年二月（第二次）、「コミンテルンの反ファシズム統一戦線の呼びかけに呼応して日本で人民戦線の結成を企てた」として、労農派系の政治家や運動家、大学教授・学者グループが一斉に検挙された事件である。第一次の逮捕者は加藤勘十・山川均・荒畑寒村・鈴木茂三郎・向坂逸郎ら、第二次は大内兵衛・有沢広巳・宇野弘蔵・美濃部亮吉・佐々木更三・江田三郎などである。逮捕者は四八四名に上ったが殆どが不起訴・無罪・執行猶予だった。

さて二月十七日の善明の日記である。

最近帝大はじめ大学教授が人民戦線に関係するとして検挙、そのほか菊池貴族院議員は帝大教授の旧著を詮索して、日本国体思想に反するといって大臣を追求する。そのやり玉に挙げられたる著書は勿論発禁。滔々たる国粋主義者にかなはず。しかしながら攻撃者（菊池議員ら）がそれらの数人の著書に持つ不安を、私もまたその攻撃者に対して抱き

学問の――日本学も含む――高き自由の脅かさるるを感ず。

それが日本を防衛するに足る意見ならばよし。しかしこの頃の猫も杓子も「自由」の名を恐るることチブス菌を恐るるが如し。疑心の得々たる横行は、かえって遂に日本を危からしむるものとなり、日本の創造精神を阻害する結果ともなる。哀れむべし。恐るべし。いきどほるべし。日本をあやまるものはかかる片意地で、自分の名の為に国家や愛国を担ぎだす老人なり。

日本はそんなちっぽけなものであってはならぬ。真の日本を見ぬものは、反日本的なのも、自称国粋主義者も同じだ。日本の世界性。日本の自由……（小高根二郎著『蓮田善明とその死』より一部現代語になおした）

善明は国粋主義者ではない。軍国主義者でもない。善明が守ろうとしたものは、自由でのびやかな「古代の日本」だったのではないだろうか。

昭和十五年五月二十七日に渙発された所謂「八紘一宇の詔書」により「八紘一宇」は人口

に膾炙（かいしゃ）したが、善明は濫用されていることに眉を顰め「原典に対して慎まねば大臣将軍が使ってさえまるで響きが違って聞こえ、外国人に取っては単なる外交辞令としてしか響かないゆえんである」と警告を発している。つまり神殿のものは神殿へ、神棚のものは神棚へ返せという思想である。

文学者の戦争協力

一年後に「月刊新潮」昭和十八年五月号に善明が書いた「文学古意」での中で、善明は丹羽文雄の海軍報道班員としての報告に「この時砲弾の一つも運んで手伝うべきだったのではないか」と批判している。

これを思い出して昭和四十三年、三島先生は中村光夫との対談で、

（蓮田善明のその発言には）本当に文学というのは客観主義に徹することができるのだろうか、文学者はそういうときに単なる物を記録する技術者であるのか。あるいは文学とはそういうときにメモを取ることをやめて弾を運ぶことであるか、という質問を蓮田がしているのじゃないかとぼくは思う。（「対談人間と文学」より）

さらに「文化防衛論」のなかで、

戦後ただちに海軍の暴露的小説「篠竹」を書いた丹羽氏は、当時の氏の本質は精巧なカメラであって、主体無き客観性に依拠していたことを自ら証明した。

三島先生は戦後二十三年たって、善明の批判した丹羽を同様に批判しているのだ。やや脱線するが、この一年前の昭和十五年の夏に小林秀雄（戦前戦後を通じて著名な評論家文学者、当時三十八歳）は文芸銃後運動として行われた講演「文学と自分」で語っている。

戦が始まった以上何時銃を取らねばならぬかわからぬ、その時がきたら自分は喜んで祖国の為に銃を取るだろう。而も文学は飽くまでも平和の仕事ならば、文学者として銃を取るのは無意味なことである。戦うのは兵隊の身分として戦うのだ。銃を取る時が来たらさっさと文学など廃業してしまえば良いではないか。簡単明瞭なものの道理である。時到れば喜んで一兵卒として戦う。

小林秀雄は戦後一億総懺悔のうねりの中で啖呵を切っている。

僕は無智だから反省なぞしない。利巧な奴はたんと反省してみるがいいじゃないか。（昭和二十一年二月、雑誌『近代文学』座談会「小林秀雄を囲んで」）

開戦後一年を経た昭和十八年一月、東京帝大講堂にて「古事記展」が開催された。善明は古事記の専門家として役員となり大活躍。「文藝文化」三月号の巻頭言に「勇進の古道」と題して古事記の神武天皇作の歌を三編掲げている。

神風の　伊勢の海の　大石に　這ひ廻ろふ細螺の　い這ひ廻り　撃ちてし止まむ（以下略）

「撃ちてし止まむ」は戦時中戦意高揚のスローガンとして多用され、有名な言葉だが、古事記が出典である。昭和九年頃に善明はこの「軍歌」を現代語に訳している。

神の風吹く伊勢の海の
石に執り着く細螺貝
取り付き匍ひつきじりじりと
囲み撃て撃て撃ち果せ

善明が「撃て撃て撃ち果せ」と叫んだ相手は日本に仇（あだ）なす敵である。しかし後述するが、善明が現実に「撃ち果した」のは陸士陸大出のまさに天皇の股肱にして忠臣たるべき帝國陸軍大佐聯隊長だったのだ。

「文藝文化」十八年五月号の後記に、善明は書いている。

いよいよ皇国思想について熱烈の論が燃え立つてゐる。しかしただ思想としての漢意排斥及び日本論はなお未だ漢意と目される。文学としてのやまとごころの大事さに思ひ至る時が真の皇国古意の開蕾である。外国排斥つまり攘夷は外国思想を脱し得てゐない。

翌六月号の巻頭言に善明は書いている。

国を興すときに詩歌文学を大事にしたのは日本だけで、ギリシャも支那も国亡ぶる時、符を合するが如く文学を追放して上面づくつた政教論が栄えてゐる。今日も一時の便乗の巧者が文学などの時代ではないと述べたりしてゐる。しかし貴ばるべき文学については時人の尚ほ目をひらかざることが多い。

繰り返すが善明は巷間伝えられるような、俗悪で激しい右翼イデオローグではなかったのだ。

この頃を三島先生は次のように懐旧している。

私は花盛りの森が機縁になってたびたび寄稿が許されのちには同人の集まりにも出席するようになつた。清水文雄氏の純粋、蓮田善明氏の烈火のごとき談論風発ぶり。池田勉氏の温和、栗山理一氏の大人のシニシズムがそれぞれ相映じてたのしい一団を成していた。（略）ほとんど政治的な話しはでなかつたやうに思ふ。国文学の最もあえかな（村田注かよわくなよなよとしたたよりないさま）もつとも優美な魂が、ここでは何ものよりも大切にされてゐる。といふ印象を私は強く抱いた。

まさに「みやびが敵を討つ」のであって、善明自身は「みやび」の極地にあり、国粋主義者でも軍国主義者でもなかったのだ。

この頃のことを「文藝文化」同人の富士正晴が次のように懐旧している。

林富士馬と三島由紀夫三人で成城町の蓮田善明のところへ行ったことがある。何の話をしたのやら何があったのかおぼろ気だが、電車の駅まで送ってきた蓮田善明が、なんとも離れるのが辛い恋々といった感情を三島由紀夫に対して示したことを思い出す。

善明は「文藝文化」六月号で「三島君の小説はもちろん成熟してゐるとはいへないが、決定的な文学である。読者も非常に気を付けて大事に読んでくださつてゐるやうで、さういふ言葉をいただいてゐる」と変わらず称揚をしている。
この頃、善明は月刊誌「現代」に依頼され、「興国百首」を連載している。このなかに善明は神風連の副首領加屋霽堅の一首を撰び解説を加えている。

徒なりと人な惜しみそもみぢ葉のちるこそ赤き心なりけれ

この歌については最後に述べる。

山本五十六元帥の戦死

五月二十一日、山本五十六元帥の戦死が公表された。翌日の成城高校に於ける事件を当時十三歳の長男晶一が述懐している。

登校すると私のいる尋常科（中学部）も高等科（旧制）も、全生徒が校門前の広場に集められた。教師達も集まり、生徒は学年別に整列し、ざわめきながら山本元帥追悼の儀式が始まるのを待っていた。厳粛な沈痛な空気がその場を支配していた。なかには普段と変わらぬ平気な顔の生徒も教師もいた。しかし式はなかなか始まらなかった。高等科生徒が揃わず、遅刻した彼らが校門からぽつりぽつりと入ってくるからであった。（略）

参集している私たちが見守る中を暢気に歩いてくるのだった。わたしたちはぶつぶついいながらも教師達を含めて皆大人しく待っていた。突然バチバチ、バチバチと小気味の良い音がして、振り向くと父が伸び上がるようにしながら校門の前で遅れてきた背の高い高等科生徒の頬をはっていた。怯んで横に逃げかけた生徒も横面を張られた。その場の空気は粛然となり、気不味いものになった。わたしの傍らの高等科教師のなかには、白眼がちに父の逆上ぶりを見る人があった。私を息子と知らずに、父を非難する人があった。私の学校は教師が生徒に手を振り上げることの全くない、当時としては例外の学校であった。そのとき私は父と血の繋がりを身体中に感じた。私も血が煮えたぎり父と共にそこら中を殴り廻りたい気がした。山本元帥を喪ったやり場のない鬱憤と焦燥感、そのことに平気でいられる人種への違和感、そんな感情が錯綜して父の手を走らせたのではないだろうか。（昭和四十二年「バルカノン」二十二号「父蓮田善明」）

アッツ島の玉砕

十八年五月アッツ島玉砕の報道の翌朝、善明はＮＨＫラジオで忠霊を哀哭する放送をしたが、悲憤慷慨に舌がもつれ、しばしば絶句したそうである。その放送を聞いた同人の栗山理一の感想が「文藝文化」七月号後記にある。

けさは食卓につきながら蓮田の放送を聞いた。昨夜来、アッツ島の悲報によつて心も重くなつてゐた私は、慷慨にややもつれがちな蓮田の声に、ふたたび昨夜の生々しい感動がよみがへつてゐた。何といふ厳粛な事実であらうか。ただ声を呑んで悲憤の思ひを熱くしながら、あの七時からのラジオ報道を胸に繰り返し繰り返し通した一夜だった。二十九日の夜暗を期し、生き残つた僅かの手兵をひつさげ、敵の主力に対して最後の大鉄槌をくださんとした山崎部隊長が、この攻撃に参加し得ない傷病兵たちはすでにことごとく枕を並べて自決した旨を上司に報告するあたりは、聞きながらなみだが溢れてしかたがなかつた。

「他に策なきにあらざるも、万一を僥倖し、武人の名を汚すべきにあらずと覚悟し、部下一同も莞爾として倶に死に邁く」これが死の突撃を寸前にした武将の儼然たる最後の報告文であつたのだ。

放送の内容は残っていないが、善明の書いた「文藝文化」七月号の巻頭言がそれであると目されている。

アッツ島の忠霊にたてまつる

この東人は常にいはく、額には箭は立つとも背には箭は立たじ、といひて君を一つ心を

もちて護るものぞ。（村田注神護景雲三年十月一日（キリスト暦七六九年）称徳天皇宣命）
この古き大御言のまま、忠魂二千の英霊にたてまつる。
「北の海霧たちわたる鬼神とたふれしひとがいまはの息か」

翌月（十八年六月）三島先生は学習院の文化祭で劇「やがてみ楯と」二幕四場を上演している。この「み楯」が後に楯の会の名称になっている。

ガリ版刷りのプログラムに「作・演出平岡公威　大東亜戦下学生の士気を鼓舞し戦時の学生としての正しい立場を明らかにするために書かれたものであり、学生の間に盛り上がりつつある気運を端的にかかる形式によって表現しようと試みたものであります」とある。

三島先生は銃後にあって懸命に戦争に協力していたのだ。

二度目の出征

そして昭和十八年十月二十五日、善明に再度の召集令状がきた。この時代、二度目の召集令状を受け取ると、ほぼ全員「いよいよ最期だ」と観念したそうである。

この日のことを長男晶一が旧懐している。

近々召集するかも知れぬ、と父からきかされていて私は非常に不安で心配でならなかった。登校中も帰宅してからも、父は行って終うのではないかという予感で、おどおどしながら私は過ごした。

それから二週目の未明に「電報！」の声と共に玄関の硝子ドアが叩かれた。私は瞬間もう駄目だと観念したとたんに涙がとめどもなく溢れ出た。母がたって電報を受け取った。父は低い平静な声で、明日たたねば間に合わぬこと、そのためには今からすぐ準備にかからねばならぬこと、などを母に話し、身仕舞いをした。

その夜壮行の宴があった。栗山理一は語る、

「前夜は慌ただだしい身支度の中雨をついて集まった数人の友と壮行の小宴を開いたが、蓮田は軒昂と郷党神風連の歌を高吟し、果ては醜夷を憤って熱涙を流してゐた。わたしは長い交友の間に、はじめて蓮田が男泣きに泣くのを見た」。

その神風連の歌とは大田黒伴雄の「天照す神をいはひて現し身の世の長人と吾は成りなむ」と言われている。

同席した清水文雄は述懐する。

善明は「あのアメリカの奴メ等が…アメリカの奴メ等が…」と激昂を繰り返して泣いた。

そのときの善明の歌が残っている。

門出に　勅題のこころを
大海原
豊栄昇る
朝日影
天足らしたり
国足らしたり
　　臣善明

宮城前広場で

翌二十六日東京駅乗車前に陸軍中尉の軍装と白手袋をし、妻子を連れて宮城前の広場に赴いて皇居を参拝。妻に玉砂利を拾わせ、三人の子供（晶一十三歳、太二七歳、新夫四歳）に形見分けをし、自身も、〈三粒四粒〉の玉砂利を戦地への携帯にした。そのときの詩である。

　　賜死の旅
「皇居を拝してかへるさ」
妻よ　この大前に敷かれたる
さゞれ石のうるはしからずや

汝が手に一にぎり　拾ひて
われと汝と分たん
汝が手なるは稚子らに分てよ
さゞれ石　ああ　大前の
さゞれ石　円らかに　静かに
ありがたきかな
わがいだきもちて行く
三粒四粒

広場から東京駅に着いた。当時すでに見送りは一人と定められていたのでホームでは長男晶一ひとりが見送った。三十九歳の老兵の再度の出征を見送る十三歳の息子。晶一は後年述懐する。

汽車の窓越しに見る父は、それ迄の厳しさが全身からすっかり消えて静かに微笑んでいた。わたしはそんな父をはじめて見た。

このとき善明は古事記・万葉集・古今集・源氏物語・方丈記・発心集・無名抄を携行して

いる。

みやびが敵を討つ

この二度目の出征の少し前、清水文雄は善明の「みやびが敵を討つ」ということばをきいたことを述懐している。「それは一見矛盾を含む表現の様に見えるこのことばの奥に、一筋のきびしいものがひそめられていることを直感した為と思われます」。

さらに清水は述懐する。

抱擁と拒絶、やさしさときびしさ、この相表裏する二つの契機を内包するところに、みやびの真姿があったのである。一見女々しい柔軟体の様相を呈しながら、利己・欺瞞・倨傲・俗悪などすべて正雅ならざるものに対する時「みやび」は一転して破邪の剣になる。

三島先生は文化防衛論の中で「みやびは文化的成果であり、それへのあこがれであったが、非常の時にはみやびはテロリズムの形態をとった」と書いているが、後述する善明の最期を連想せざるを得ない。

南溟を転戦

善明は六日後の十一月一日に門司港を出港、高雄・馬公・昭南・パレンバン・ジャカルタを経てスラバヤへ。

昭和十九年一月、小スンダ列島スンバ島に一年三カ月駐屯した。島では至ってのんびりしたもので空襲は二回のみだった。

このときの故郷宛ての葉書が残っている。

太二君も二年生になって元気でゐることと思ひます。新夫君はあひかはらずわるん坊でせうね。兄さんと三人で心をあはせてお母さんを守つて、お父さんがゐなくてもりつぱな人になりなさい。兄弟三人で心と力を合せたらほんとうに強くなれます。四十七士もうち入りの時は三人ぐみになつてた丶かつたさうですよ。お父さんは元気です。家のまはりの林にはお猿さんが一杯ゐます。豚さんも時々歩いてゐます。一メートルばかりの大とかげも。太二君の好きな河馬さんはゐません。さやうなら。（昭和十九年八月二十六日付）

当時の上官が述懐する。

スンバ島パイン警備隊のとき。海岸線に陣地を構築中、休憩となり、愚生（鳥越春時中隊長）と蓮田氏と素裸になり海の中にて水浴をしてゐる時に敵機四機が機銃掃射をしながら吾々を攻撃してきた。兵隊は工事中の壕の中に平グモの様にへばり付いて、誰一人として射撃しようとするものもゐない。愚生は咄嗟に砂浜に飛び上り軽機関銃を取り上げ銃撃してくる敵機に向ひ腰ダメ射撃をしてゐると、愚生の近くで軽機関銃を持って射撃をしてゐる者が居る。此奴、豪胆な奴だと思つて見ると蓮田氏が全裸で、フリ金の儘、敵機を射撃して居る。敵機が飛び去つてからよく見ると愚生も蓮田氏もフリ金の儘砂浜に飛び出し敵機を射撃して居たのである、蓮田氏はフリ金の儘、部下小隊を集め曰く敵機は中隊長殿と私のフリ金姿に吃驚して逃げ去った。中隊長殿と私が模範だ。お前たちが壕にへばりついて一発も敵機に向かひ射撃をしなかったのは小隊長として残念至極だ。もつと勇気をだせ。フリ金訓示終り。」で爆笑をしたことがあつた。

蓮田小隊長の面目躍如である。さらに蓮田小隊では、兵士が憲兵と喧嘩をしてけがを負わせ重罪になるところ、蓮田小隊長が身を挺してわびを入れて事なきを得たこともあつた。蓮田小隊長人気抜群であつた。

東京では

この頃十九年五月三島先生は、本籍地兵庫県加古川で徴兵検査を受け第二乙種合格。

二ヶ月後の夏休みに友人宅で「アメリカって癪だなあ。アメリカ兵を竹槍で突き殺してやる」と叫んでいる。
九月九日学習院高等科卒業式。天皇陛下ご臨席の下、首席で恩賜の銀時計を拝受。
十月一日東京帝大法学部入学式。
十九年十月に『花ざかりの森』を処女出版、その「跋に代えて」から抜粋する。

蓮田善明氏は再び太刀を執られて現に、戦の場に立つておられるが、氏が都にあつて古道にいそしんでをられた傍ら、「文藝文化」「四季」などの誌上に、励ましの御言葉を賜つたこと、一人歩きの覚束ない身に、それそこに石がある木の根がある躓くなとことごとに御心遣いの濃やかであつたこと、それぞれに身に沁みて、遙かに御武運の長久を祈りつつ懐かしさに堪えない。

十九年十一月　蓮田夫人に製本あがったばかりの『花ざかりの森』を献呈。
昭和二十年二月四日、勤労動員先から帰宅したその日の夜十時に入営通知電報を受け取る。即遺書をしたため、遺髪遺爪を用意する。

遺書　平岡公威

一、御父上様御母上様
恩師清水先生ハジメ学習院竝ビニ東京帝國大學
在学中薫陶ヲ受ケタル
諸先生方ノ
御鴻恩ヲ謝シ奉ル
一、学習院同級及ビ諸先輩ノ
友情マタ忘レガタキモノ有リ
諸子ノ光栄アル前途ヲ祈ル
一、妹美津子弟千之ハ兄ニ代リ
御父上御母上ニ孝養を盡シ
殊ニ千之ハ兄に續キ一日モ早ク
皇軍ノ貔貅※トナリ皇恩ノ万一ニ報ゼヨ
天皇陛下萬歳
（※貔貅とは古代支那の伝説上の猛獣のこと、勇猛果敢な軍兵を指す。）

弟に対し「皇恩ノ万一ニ報ズ」る自分に続けと命令しているのだ。
二月十日、加古川郡富合村で入隊検査を受けるが、肺浸潤との誤診で即日帰郷を命ぜられる。

氏名平岡公威
右兵役法第四十七条ノ規定ニ依リ昭和二十年二月十日帰郷ヲ命ジタルコトヲ証明ス。突
第一〇一三三部隊長栗栖晋

蓮田善明の自決

聯隊長の裏切り

そして運命の八月十五日を、蓮田善明中尉はマレー半島南部のジョーホールバール付近の水源地で迎える。

部隊の意気は高く最後の一兵卒まで戦うべしという雰囲気だった。第七方面軍司令官板垣征四郎大将を戴いて徹底抗戦すべきとして、蓮田善明中尉はその大隊長に擬せられてもいた。その空気を感じた聯隊長中条豊馬大佐（推定五十歳）は、先手を打って下士官以上を集めて訓示をした。その際あろうことか「敗戦の責任を天皇に帰し、皇軍の前途を誹謗し、日本精神の壊滅を説き日本人混血論を説いた」と言うのだ。中条大佐の職業軍人らしからぬあまりの見事な豹変と変節ぶりに、善明のはらわたは煮えくり返ったのである。善明は聯隊長室に大

佐を訪い、激論を戦わせた。しかし大佐の天皇に対する誹謗、帝国の将来への中傷はやまない。ついに善明は「討つ」しかないと決心した。

十九日の朝、善明は胸に略綬をつけ完全軍装に身を固め白手袋で聯隊本部に現れた。周囲は転勤の挨拶でもするのか、それにしても大仰な出で立ちだと不審に思ったという。

以下その日の将校食堂での昼食の最中の会話である。

高木大尉「日本は敗けたんだ。敗けたからには聯隊長（中条大佐）が言われるように、もう天皇も、国民も、なんも区別もありゃしない。これから日本の子供達に、誰が一番えらいかね？　と訊ねたら、蔣介石とか、ルーズベルトと答えるこっちゃろう。天皇なんぞと答える者は一人もいなくなるよ」（筆者は驚いた、終戦直後に職業軍人のこの情けない台詞、しかしもっと驚いたのはその予想が当たっていることだ。ルーズベルトではなくスターリン、蔣介石ではなく毛沢東ではあったが）

蓮田中尉「高木大尉！　あんたは士官学校で一体なにを学んできたんですか？　そんな莫迦なことは断じてない。日本が続くかぎり、日本民族が存続するかぎり、天皇が最高であり、誰が教えなくとも、日本の子供であるかぎり、天皇を至尊と讃える」

高木大尉「敗けてから、そんなこと言うても始まらん！　それはあんたの単なる理想じゃ」

蓮田中尉「敗けたからこそなお必要ではないか！　皇室中心に子供達を導くのは、変わらぬ我々の責務じゃ」

高木大尉「冗談じゃねえ。はたして生きて帰れるか、どうか、わからん我々なんだぜ。聯隊長殿の話のとおり、くだらん理屈をこねて暇をつぶすより、どうしたら生きて帰れるかちゅう手段を、真剣に考える秋じゃあるまいか？」

蓮田中尉「生きて帰ろうと、死んで帰ろうと、我々は日本精神だけは断じて忘れてはならん！」

高木大尉「その日本精神が物量にころりと負けたんじゃ。いまさら何をか言わんや……じゃ。日本精神の看板じゃァもう飯も食えんテ」

田中大尉が「飯がまずくなる」と論争を止めて会食は終った。（『蓮田善明とその死』より抜粋）

筆者は驚愕する。今現在も日本に横溢する、国体を誹謗中傷し経済至上主義を掲げる戦後体制が、終戦直後の外地で、しかも軍人にすら早くも芽生えていたというのか。この戦後体制の根深さを嘆ぜずにはいられない。

昼食後に中条大佐は、軍旗を納めた箱を持った塚本少尉を従えながら、聯隊本部の玄関を出た。待機していた車に乗り込もうとすると、副官室の窓外の死角で待ち伏せていた善明が、黒田軍曹の背後から踊り出てきた。善明は「国賊！」と叫び、拳銃二弾連発し、大佐を射殺した。

「つかまえろッ！」という某大尉の怒号の中、善明は築山を目指して走り、自らの右こめかみに銃口を当て引き金を引くが不発となった。善明は、追手を制止するか二重装填を解くかの動作の如く、右手を水車のようにグルグル回しながら再び走り、もう一度こめかみに拳銃を当て引き金を引いた。蓮田の身体は一旋回すると、一尺ほど血潮を吹き上げながらねじれて大地に倒れ絶命した。享年四十一。

その時、左手に固く握りしめていたものは、〈日本のため、やむにやまれず、奸賊を斬り皇国日本の捨石となる〉という文意の遺歌を書いた一枚の葉書だったとの証言が残っている。国に遺した妻子のことを思わぬでもないが、これが自分の行く道だから、という意味のことも書いてあったという。

善明の遺骸はゴム園に丁重に埋葬された。（『蓮田善明とその死』より抜粋）

聯隊長裏切りの理由

中条大佐の豹変の理由には諸説ある。日頃の言動が不審だったのである。大佐宛の郵便物に金某からのものが多数あったという。大佐は分屯地の軍状を視察に行っても、自らの部下は相手にせず、もっぱら現地人に慇懃で、「そのうちあいつらの世話になる時が来る」と語っていたという。つまり通敵していたという。三島先生もその認識であり、『蓮田善明とその死』の序に「終戦直後蓮田中尉がその聯隊長を通敵行為の故を以て射殺し直ちに自決したといふ劇的な最期を遂げた時」と書いている。

中条大佐は対馬出身である。士官学校入学時は陳豊馬という名であったことが判明している。その後中条家に婿入りしたのである。金某は陳某の聞き間違いであり、これを見てやはりそうか朝鮮人だったのか、だったらその裏切り豹変通敵は理解できる、と思う読者も多いだろう。しかし筆者はそうは思わない。陳豊馬の実家陳家は大分県の旧家である。

姓が支那朝鮮名でも何百年も前からの日本人は多い。文禄慶長の役のとき連れてこられた薩摩の陶工沈壽官を見よ。

大東亜戦争開戦時終戦時の外務大臣東郷茂憲を見よ。彼は満四歳まで朴姓だった。秀吉軍に連れてこられた陶工李参平の子孫は金ヶ江姓を名乗っている。

肥後国学の祖といわれる高本紫溟の先祖は李王朝の末裔であり、高本は李順とも名乗っている。この李順の学統を継ぐのが神風連の理論的指導者林櫻園である。トヨタ自動車の社長を長く務めた張富士夫氏は佐賀県出身、遙か先祖はいざ知らず純粋日本人である。埼玉県に高麗川があり高麗神社がある。宮司は高麗を名乗るが、奈良時代に日本に帰化している純粋日本人である。青森県には金という姓がありコンと読む。つまり中条大佐が仮に朝鮮半島から帰化人だとしても一体何百年前の話だと言うのか、純粋日本人と言い切って良い。私はそんな出自より、陸軍士官学校陸軍大学で教育を受けたのにこの裏切り背反。このことの方がよほど興味深く衝撃的である。

余談だが今の我が国我が保守業界に、気に食わない政治家などをすぐに「あいつは朝鮮人だ、在日だ」などと「認定」して喜ぶ輩が多い。曰く土井たか子・福島瑞穂・辻本清美・小沢一郎等々数えきれないがこのようなアホらしいことを信じる人がいるのが情けない。

善明の竹馬の友、丸山学は言う。

中条大佐は前任地の上海で軍法会議の判士長（裁判長）だった。ドゥーリットル爆撃で支那大陸に不時着し捕虜になった米兵の軍法会議で、死刑判決を言い渡したのがこの中条大佐であり、蓮田中尉に射殺されなくても、連合軍に逮捕され死刑になった可能性は高いそうである。

唯一人の蹶起と自決

八月十九日の劇的な死の詳細な事情、善明と他の将校との対話などがこの『蓮田善明とその死』には克明に、恰も見てきたかのように書かれている。これは関係者が全員生きて日本の土を踏んだからであり、小高根氏が緻密な取材を通じてかかる事態となった事情を詳らかにしたのである。射殺された聯隊長と善明以外は全員復員した。善明も聯隊長の暴言妄言を聞かないことにすれば生きて帰れたのである。

昭和四十五年七月サンケイ新聞に三島先生は書いている。

私の中の二十五年間を考へると、其の空虚に今さらびつくりする。私は殆ど「生きた」とはいえない。鼻をつまみ乍ら通り過ぎたのだ。

後に二十五回忌（昭和四十四年）のとき、敏子未亡人の小高根宛の葉書に「妻子を思う心ひとしお深い人でしたのに今年はもう二十五回忌を迎えます」とある。善明は「見て見ぬふりをし、聯隊長の前は鼻をつまみながら通り過ぎ」れば、妻と三人の子の待つ熊本に帰ることができたのである。しかし善明は自らの思想に従ったのだ。

勿論東京の三島先生は知る由もないが、なんとこの八月十九日に「昭和二十年八月の記念に」を執筆している。

昭和廿年八月十九日　些か心緒を述べて後鑑に俟つ。我々が長く想ひゐがいて来たのは中世であった。嘗てガダルカナルの玉砕に、若林中隊長の遺稿が発表された時、次のような詩句に我々は乱世のひらけそめたことを直感した。（中略）文化人の多くは疎開を以て奉公の道とし、婦女子とその保護者と称する智識人の男子等は米軍上陸を懼れて慌しく六大都市を逐電しつつあるものの如くである。戦後の屈辱の真只中にありて動ぜず、真の秩序を己が内心に秘して誤らず、渦中に趺座して苦難の時代に耐へんとするは智識人各自の覚悟ではないのであらうか。

三島由紀夫の自決

靉靆の雲

三島先生が善明の劇的な死を知るのは一年後である。

昭和二十一年六月十九日に熊本の善明の留守宅に死の公報が届く。勿論戦死ではない。従って軍人恩給（遺族年金）もなかった。

十一月十七日成城学園素心寮にて故蓮田善明追悼会がしのびやかに催行された。出席者だけで善明の思い出を小冊子にまとめ、善明を深く知る版画家・棟方志功の「悲しき飛天」装幀で「おもかげ」という小冊子を発刊した。

三島先生は毛筆でしたためた以下の詩を亡き蓮田に献じた。

古代の雲を愛でし君は
その身に古代を現じて雲隠
れ玉ひしに
われ近代に遺されて空しく
靉靆の雲を
慕ひ　その身は漠々たる

塵土に埋れんとす

（靉靆　あいたい、雲が盛んなにたなびく、くらいさま）

翌日、三島先生は清水文雄にはがきを書いた。

「黄菊のかおる集まりで、蓮田さんの霊も共に席をならべていらっしゃるように感じられ云々」

後のことになるが昭和四十一年夏、三島先生は「奔馬」取材のため熊本に赴くが、その一週間前の八月二十二日、ドナルド・キーンと共に奈良の大神神社に三日間参籠する。神職に求められ色紙に「清明」と「雲靉靆」としたためた。「清明」は後に碑となり境内に置かれ現在に至る。

昭和二十一年十一月二十日郷里・熊本県植木町で葬儀。

三島先生は「塵土に埋れんと」して二十二年末に大蔵省に奉職したが一年で退官、作家一筋の道を歩み始めた。二十四年「仮面の告白」二十九年「潮騒」三十一年「金閣寺」と、瞬く間に大作家としてその名を不動のものとしたのは読者ご承知の通りである。

善明と三島先生共通の友人で作家の小高根二郎が主宰する「果樹園」という月刊文芸誌がある。それを読んだ三島先生の礼状がある。

昭和三十四年八月七日
本号の蓮田善明氏の自決に関する御一文を読み、感佩に堪へず、一筆御礼を申し述べたくなりました。しかし小生としては、氏の思想がかかる行動に直結したことはさしてなぞとは思へませぬ。それより、直結しなかったら、そのほうがふしぎだと思います

賢しらの誹りを覚悟で敢えて言う。筆者には、三島先生が昭和四十五年十一月二十五日に自決しなかったら、つまり楯の会の行動等があの義挙（蹶起）に直結しなかったら、そのほうがふしぎだと思える。

文学碑建立

昭和三十五年、善明の故郷熊本市植木町田原坂公園に蓮田善明文学碑が建てられた。

蓮田善明文学碑建立趣意書
畏友蓮田善明君が南溟の戦野で悲壮なる自決を遂げて既に十有五年になりますが、時勢の変転極まり無い中に彼の学殖と文藻と風格は炳としてその光彩を喪わず（略）この壮烈なる僚友の悲願を永く後世に讃え彼を偲ぶよすがともいたしたいと存じまして左記要領の通り「蓮田善明文学碑」を建立することといたしました。

発起人のなかに勿論三島由紀夫の名がある。歌碑の表面には、一度目の出征の時に戦場で故郷を偲んで詠んだ「ふるさとの驛におりたち眺めたるかの薄紅葉忘らえなくに」が彫られている。

蹶起への準備

三島先生は四十年九月「豊饒の海」の第一巻「春の雪」を「新潮」に掲載開始し「憂國」を発表。

四十一年六月「英霊の声」とまさに「死」への準備を始めていた。

四十一年八月二十七日熊本を訪れ神風連関連の書籍を大量に購入、遺跡を丹念に回っている。

二十八日に料亭おくむらで蓮田未亡人敏子らと会食している。滞在中に日本刀を購入、三十一日未亡人らに見送られて熊本駅より帰京している。このとき既に死を決意していたことは間違いない。

四十二年三月、前述の月刊誌「果樹園」に小高根自身が「蓮田善明とその死」を連載していた。

三月一九日に三島先生は小高根氏に葉書を書いている。

前略　いつもいつも「果樹園」を御恵投に与り、有難く拝読してをります。さて「蓮田善明とその死」は毎号感動を以て拝読中。昨年熊本で蓮田未亡人にはじめてお目にかかる等、結縁の再生をひしひしと感じてをりました（略）小生が蓮田氏の年齢になつてはじめて蓮田氏の心事に触れえたといふこともありませう。かういふことは時代と直接関係のない、もつと深い血脈に関するもののやうであります。（略）

三島先生は四十二年四月に単身久留米の陸上自衛隊幹部候補生学校に体験入隊。この頃早稲田大学国防部と接触。森田必勝さんと知り合っている。昭和四十三年三月、祖国防衛隊（後の楯の会）一期生になる学生（森田必勝さん含む）が自衛隊体験入隊。四月制服完成、同年八月二期生入隊、十月「楯の会」正式発足、名称も楯の会となる。

善明の享年を越える

昭和四十三年十一月、前述の「果樹園」の小高根二郎「蓮田善明とその死」の連載が完結した。以下三島先生から小高根氏への書簡である。

前略　「蓮田善明とその死」感激と興奮を以て読み了へました。

毎月、これを拝読するたびに魂を振起されるやうな気がいたしました。この御作品のおかげで戦後二十数年を隔てて、蓮田氏と小生の結縁が確かめられ固められた気がいたしました。御文章を通じて蓮田氏の声が小生に語りかけてきました。蓮田氏と同年にいたり、なほべんべんと生きてゐるのが恥ずかしくなりました。いったい少年の忘恩は、数十年後に我が身に罪を報いて来るやうであります。今では小生は嘘もかくしもなく、蓮田氏の立派な最期をうらやむほかに、なす術を知りません。しかし蓮田氏も現在の小生と同じ、苦いものを胸中に蓄えて生きてゐたとは思ひたくありません。時代に憤ってゐても氏にはもう一つ、信ずべき時代の像があつたのでした。そしてその信ずべき像のはうへのめり込んで行けたのでした。五十五回に及ぶご努力によって、かうした叙事詩的評伝をものされたことに対し、深い敬意と感謝を捧げるのみであります。十一月八日

この秋の出来事を文芸評論家の野島秀勝は述懐している。

あれは昭和四十三年の秋頃だったと思う。ある雑誌の会合での席で、たまたま蓮田善明のことが話題に上り、そのとき三島が誰にともなく、「蓮田には死ぬときが恵まれていた」と言ったのを憶えている。

自衛隊に見切りを付け楯の会のみで蹶起へ

四十四年三月「楯の会」三期生体験入隊。同年六月神田の山の上ホテルで山本舜勝陸将補ら自衛隊幹部五名に自衛隊の蹶起を促すが断られる。

この頃三島先生は果樹園の連載をまとめた単行本小高根二郎『蓮田善明とその死』の序文を書いている。

（前略）氏が二度目の応召で、事実上「賜死」の旅へ旅立つたとき、のこる私に何か大事なものを託して行つた筈だが、不明な私は永いこと何を託されたかがわからなかつた。それがわかつてきたのは、四十歳に近く、氏の享年に徐々に近づくにつれてである。私はまづ氏が何に対してあんなに怒つてゐたかがわかつてきた。あれは日本の知識人に対する怒りだつた。最大の内部の敵に対する怒りだつた。戦時中も現在も日本近代知識人の性格がほとんど不変なのは愕くべきことであり、其の怯懦、その冷笑、その客観主義、其の根なし草的な共通心情、その不誠実、その事大主義、その抵抗の身ぶり、その独善、その非行動性、その多弁、その食言……戦後自ら知識人の実態に触れるにつれ、徐々に蓮田氏の怒りは私のものになつた。

雷が遠いとき、窓を射る稲妻の光と、雷鳴との間には、思はぬ長い時間がある。私の場合には二十年があつた。そして在世の蓮田氏は、私には何やら目をつぶす紫の閃光として現はれて消え、二十数年後にはじめて手ごたへのある、腹に響くなつかしい雷鳴が、野の豊饒を約束しつつ、轟いてきたのであつた。

先生の言う処の日本近代知識人であるが、筆者は文学者操觚者だけを指すのではないと思う。政治家官僚財界人自衛隊幹部等日本の指導層全体に対する絶望怒りだと思う。

昭和四十四年十月二十五日、杉並区荻窪の料亭・桃山での蓮田善明二十五回忌で三島先生は語っている。

私の唯一の心のよりどころは蓮田さんであって、いまは何ら迷うところもためらうこともない。私も蓮田さんのあのころの年齢に達した。

まさに善明と同じような死を撰ぶことを表明していると言って過言ではない。

昭和四十五年三月、『蓮田善明とその死』が上梓された。

この頃三島先生に会った村松剛は、

「蓮田善明はおれに日本の後をたのむといって出征したんだよ。」三月にあったときの三島はしんみりとした口調でそういっていた。蓮田善明のはなしはそれ以前もよく三島から聞いていたので、「日本のあとをたのむ」といったという彼のことばも、このときは深くは気にとめなかった。（村松剛「三島由紀夫の世界」新潮社平成二年）

四月末、出版された『蓮田善明とその死』を携え、陸将補山本舜勝氏邸を訪問した三島先生は、「私の今日は、この本によって決まりました」と献呈し、山本氏に自分の心情を伝えている。

山本氏は陸士陸大でのエリート参謀であり、陸軍中野学校の教官として終戦を迎え、戦後自衛隊に入隊。三島先生蹶起のときは調査学校副校長陸将補。終始楯の会の軍事面での実質的な指導者であり三島先生とも極めて密接であった。自衛隊の部隊を動かして共に蹶起するようなことを仄めかせて三島先生を喜ばせたりしたが、三島先生が本気だと知ると次第に冷たくなっていった。三島先生は四十四年の暮れには山本氏と自衛隊に見切りを付け、楯の会単独での蹶起を目指すようになっていた。

新潮社の編集担当者だった小島千加子は、蹶起の一ヶ月前に三島邸で先生と二人だけで佇んでいた時の記憶を述懐している。

「このごろになって、ようやく蓮田善明の気持ちが分かってきたよ。善明が何を言わんとしていたのかって。善明は、当時のインテリ、知識人に、本当に絶望していたんだ」

と話す三島さんの様子に一瞬、軍装姿のような幻影が見えた。三島さんの姿はただの背広ではない。制服制帽で口をきいているのだ。楯の会の制服姿なのか、あるいは蓮田善明の軍服姿と重なっているのか。後日、小高根氏の書をあらためて読み、時代を超えて善明の魂が三島さんにより添い、白昼の稲妻として共鳴音を立てたとしても、不思議ではない気がしている」（小島千加子「日々の分れ―死への一里塚」）

蹶起そして辞世

昭和四十五年十一月二十五日の三島由紀夫隊長森田必勝学生長の蹶起自決についてはここでは多弁を弄しない。ここではあの蹶起の時の三島先生の辞世について語る。

散るをいとふ世にも人にもさきがけて散るこそ花と吹く小夜嵐

あの蹶起の直後、日本中の非難誹謗の洪水の中で、この辞世二首も「下手くそ」だの「文人らしくない」だのと批判を浴びていた。しかし、あの天才作家が考えに考えて作歌していたのだ。

前述したが、昭和十八年に善明は「興国百首」を撰している。その中で神風連の副首領の加屋霽堅の一首を撰んでいる。

徒なりと人な惜しみそもみぢ葉のちるこそ赤き心なりけれ

三島先生の辞世は加屋のこの一首に本歌をとっていることは明白である。辞世はもう一首ある。

益荒男がたばさむ太刀の鞘鳴りに幾とせ耐へて今日の初霜

遺作長編小説「豊饒の海」第二巻「奔馬」のカバーに使われたデザインは加屋霽堅の漢詩であり遺墨である。

致力中原　自習労此生
何惜附鴻毛　破除雲霧豈
無日磨励霜　深偃月刀

二首めの辞世もまた加屋霽堅の漢詩を本歌に取って作られているのだ。
あの蹶起は神風連に範をとり、蓮田善明の自決の顰(ひそ)みに倣っていることが、辞世二首にこめられているのだ。

三島先生と神風連の関わりについては、三島先生に興味のある方はほとんどご存じであり、ここでは論じない。しかしこの辞世の二首が考えに考えたうえで詠まれたものだということを特筆したい。三島先生は百年遅れたが神風連の一員だったのではないか。

熊本という巨大な引力

三島先生は昭和四十一年八月末の熊本旅行から帰京後、案内してくれた現地の荒木精之に礼状を書いている。

熊本を訪れ、神風連を調べる、ということ以上に、小生にとって予期せぬ効果は、日本人としての小生の故郷を発見したという思いでした。一族に熊本出身の人間がいないにもかかわらず、今度、ひたすら、神風連の遺風を慕って訪れた熊本の地は、小生の心の故郷になりました。日本及び日本人が、まだ生きている土地として感じられました。小生も久しく故郷喪失の人間であった、と痛感しました。神風連は小生の精神史にひとつの変革を齎したようであります。

ところで学習院で三島先生の先輩であり、文学を手ほどきし、励まして、先生に最も影響を与えた学友である東文彦は、二十一歳で夭折した。しかしその死は先生の心に大きな衝撃を与えたのである。東文彦は「城下の人」で有名な熊本の石光真清の次女の息子つまり孫である。三島先生は学習院高等科の頃、幾度となく東文彦を訪い、母上からその父石光真清の話しを聞いていたという。ここにも熊本とのえにしがあったのだ。

先生のあの蹶起自決が全国に報道されたとき、蓮田善明未亡人敏子刀自（そのとき六十二歳）はどう感じたのか。筆者は確信する。

「あ、三島さんは夫と同じ死に方をした」。

石光真清・神風連加屋霽堅・そして蓮田善明、熊本の人である。

事件後、瑤子夫人が「熊本の人は嫌いです」と言ったのを同郷人から聞いて、敏子夫人は深く傷ついたそうである。（「熊本の文学・第三巻」審美社平成八年）

瑤子夫人

「ここまで来て三島がやらなかったら、俺が三島をやる」と語っていたという森田必勝さん。まさに二人三脚で決行したのだが、その森田さんの遺族森田治氏への瑤子夫人の行き届いた丁重な態度を筆者は目の当たりにしている。そんな瑤子夫人が軽々に「熊本は嫌い」というわけがない。この発言の意味はもっと深い。瑤子夫人は神道の熱烈な信者である。三島先生を「右」に引っ張っていったのは瑤子夫人だ、という人もいるくらいである。蹶起三か月後に楯の会は正式に解散したが、解散式は瑤子夫人の伝手で日暮里の神道禊教会で行われた。もちろん夫人自身は神道で葬られている。夫人の神道人としての研ぎ澄まされた感覚が、日本の淵源を色濃く持っており、日本及び日本人がまだ生きているその熊本に、夫が引っ張っていかれた、その熊本への畏怖の念が「嫌い」発言になったのではないか。

敏子夫人は平成二年、瑤子夫人は平成七年に亡くなっている。蹶起後二十年、二人は東京と熊本で生きてきたことになる。その間一度も会わなかったのだろうか。会っていればどんな会話だったのだろうか。筆者は想像する。きっと二人は語り合ううちに、お互いの夫が同じ戦いで死んだような気分になってしまったのではないだろうか。蓮田小隊長の「みやびが敵を討った」ことを知り、仇を討つ為に斬り込んだ部下、それが戦士三島先生だったのではないか。

もし生き残っていたら

前述したが三島先生は昭和三十四年に「蓮田氏の思想がかかる行動に直結したことはさしてなぞとは思へませぬ。それより、直結しなかったら、そのほうがふしぎだと思います」と書いている。

もし、あのとき蓮田中尉が中条大佐の前を「鼻をつまんで通り過ぎ」無事に帰国したとしよう。絶対にあり得ないが、もしあのとき「その身に古代を現じて靉靆の雲に隠れ」なかったら、どうなっていたのか。

あっという間に「中条大佐」で満ち満ちている日本。

一億総懺悔する間もなく、終戦の翌月には日米会話手帖がベストセラーになる日本。

山本五十六元帥を喪ったことに平気でいられる人種が満ち満ちている日本。遅れてきて善明にビンタを張られた学生たちが「それ見ろザマ見ろ」と手ぐすね引いて待ち構えているだろう。文壇は人民文学やらの左翼で席巻されて「狂信的国粋主義者蓮田善明」追い落としの嵐だろう。アカデミズムの世界は人民戦線事件で逮捕された者たちで完全に占領され、国語改革の名のもとに国語はめちゃくちゃにされ国史は日本史となり記紀は捨て去られ、いったいどこに善明が息をするところがあるだろうか。占領軍とそのお先棒を担ぐ日本人の天下。粕谷一希は戦時中、徴兵検査の直前に、醬油を大量に飲んで体調を崩し、徴兵逃れをする奴等のことを醬油組と呼んだ。彼は「戦後は醬油組の天下」と喝破したが、この醬油組のなかで善明はどうやって息をしたらよいのか。

画家の藤田嗣治でさえ、戦争協力を咎められ怒って、日本国籍を捨てフランス人になってしまった。善明が生きていられるはずがないではないか。

昭和四十三年の秋に三島先生が「蓮田善明は死ぬときが恵まれていた」と言ったが、もし死なかったら「あのとき大佐を討って自決すればよかった」と臍を噛み他の死に時死に場所を探し求めたことだろう。

監獄から解放されてＧＨＱ前で万歳する共産党の奴輩に白刃で斬り込んだことだろう。善明はジョーホールバールで自決して本当に良かったのだ。

私は時々三島先生が蹶起しないで長生きしたらどうなっていたか、と思うときがある。しかし想像は続かない。あり得ないのだ。善明がジョーホールバールで当然の帰結を迎えたように、三島先生は昭和四十五年に市ヶ谷で死ぬべきだったし死んで本当に良かったのだ。その後の日本は拉致、教科書、慰安婦、強制連行、尖閣列島、終戦五十年国会決議、八月十五日戦没者慰霊祭での天皇の「反省」というおことば等々数え切れない。三島先生はあの世でいったい何回腹を切ったことだろう。

善明と三島先生は首尾よく自決できて良かったのだ。善明は拳銃一丁ですべてを解決した。三島先生は日本刀一振り短刀二振りですべてを解決してあの世に逝った。思想を完結したのだ。

などてすめろぎは…

二人の共通点を語ったが、今ひとつある。二人とも天皇なき日本に耐えられなかったのだ。善明は中条大佐との激論で、日本が天皇なき国になってしまう予感がひらめいたのではないか。

三島先生は昭和二十一年一月一日の詔書、所謂「人間宣言」の直後に「背広姿ではなく衣冠束帯でやるべきだった」と批判している。その後人間となった天皇を「などてすめろぎは人となりたまひし」と批判し続けたことは、読者先刻ご承知のとおりである。「朕ト爾等國民トノ間ノ紐帯ハ、終始相互ノ信頼ト敬愛トニ依リテ結バレ、單ナル神話ト傳説トニ依リテ生ゼルモノニ非ズ。天皇ヲ以テ現御神トシ」のなかの「単ナル神話ト傳説トニ依リテ生ゼルモノニ非ズ」と神話と現天皇の絆を否定しているところが、この詔書の最も肝心なところである。「神話と伝説とに依らない天皇」とはいったいどんな天皇なのか。善明が見たら間違いなく切腹したことだろう。

大津皇子か日本武尊にも擬(なぞら)えることのできる、古代の雪を愛でてその身に古代を現じて靉靆の雲に隠れた蓮田善明は、地上に落ちてただの戦争犠牲者になってしまうではないか、それどころかアジアの民衆に迷惑をかけた加害者になってしまうではないか。天翔る英霊が雲の上で英霊であり続けるために、天皇は人間になってはいけなかったのだ。

蓮田善明の死という稲妻の光が、二十五年たって雷鳴として三島先生の頭上に轟いた。昭和四十五年十一月二十五日の稲妻の光は何年いや何十年後に、一体誰の頭上に轟くのだろうか。

その後の蓮田家

軍人恩給が支給されなかったので、未亡人は母校尚絅学園の寮母の職を得て三人の男子を育てた。平成二年歿、享年八十三。

長男晶一氏は九州大学医学部を卒業として、熊本で著名な医師となった。平成二十八年歿享年八十六。

次男太二氏は熊本大学医学部を卒業、赤ちゃんポストで有名な慈恵病院の院長を務めた。令和二年歿享年八十四。

三男新夫氏は北海道大学を卒業し大阪府に奉職している。

兄弟は子供の頃は、帰ってこられるのに帰ってこなかった父、名誉の戦死でない父を憎んだこともあったという。

筆者は数年前建替えられた蓮田家の墓に参ったことがある。小高根二郎著『蓮田善明とその死』を持参して墓前に額づいた。

黒い石の立派な墓碑の一行目に

昭和二十年八月十九日ジョホールバールにて没
蓮田善明四十二歳

とある（現地の愛国者永田誠氏に確認）。

この碑文を見て私は、今は子供たちは父親を誇りに思っているのだ、と確信した。墓からは真っ青な島原湾が美しく、墓は南溟に向かって立っている。

第二章　貝殻島の森田必勝

納沙布岬での獅子吼

昭和四十三年も森田必勝さんは多忙だった。このとき森田さんは大学三年生。私は高校三年だった。三月祖国防衛隊として三島先生率いる学生が滝ヶ原駐屯地に体験入隊（後の楯の会一期生）。森田さんは骨折のため一週間遅れて参加する。四月楯の会の制服を着用して愛宕神社で撮影。五月三日八王子セミナーハウスで日本学生同盟（日学同）の理論合宿（講師林房雄・村松剛）。森田さんは「僕は国のために死にたいと思います」と挨拶。五月六月通じて陸上自衛隊の諜報専門家山本舜勝一等陸佐の軍事指導があった。六月十日全日本学生国防会議創設大会。議長森田さん、三島先生が万歳三唱。六月十六日三島先生一橋大学でティーチイン。七月二十五日第二回の体験入隊（後の二期生）。十月三日三島先生早稲田大学大隈講堂で講演。十月五日楯の会正式に発足。十月二十一日国際反戦デー。

この頃、森田さんは大学で全共闘と乱闘するなど血湧き肉躍る日々だった。私はつくづく思う。もう二年早く生れていたら、四十二年に入学、四十三年三月には一期生として入隊していたかも知れない。この年森田さんとすべて行動を共にしたかも知れない。そう思うと遅く生れてきたのが残念で残念でならない。

さてこの年の夏、二期生が滝ヶ原で体験入隊していた頃、森田さんは何をやっていたか。八月四日、日学同の学生約六十名は横須賀に集合。森田さんらは護衛艦「きくづき」他のメンバーは「あまつかぜ」に分乗し、乗り切れない者は陸路函館に向かった。六日の夕方、函館に上陸し、陸路組と合流。森田さんは納沙布岬からソ連に占拠されている貝殻島に泳いでわたり、一死を以て北方領土問題への国民の関心を惹起しようとする計画を発表した。七日は札幌のソ連領事館前でデモと座り込み。夜行列車で八日朝根室駅に下り立ち、直ちに納沙布岬に向かった。森田さんは当初貝殻島まで三・七キロを泳いで渡るつもりだった。あまりに海水が冷たく海流も速いので断念、漁船を奪って漕ぎ出すことにした。横須賀を出発した日学同の学生六十数名は納沙布岬では二十数名に減っていた。そしてこの決死行に手を挙げたのは早大政経学部一年生の遠藤秀明氏（故人）唯一人だった。遠藤氏は自宅に遺書を残してきたそうだ。しかし結果的に漁船を奪えず、計画は潰えた。しかし森田さんは貝殻島で死ななくて良かったのだ。二年三ヶ月後にもっと相応しい死に場所があったのだから。

ついでだが、この遠藤氏は私と同じ早稲田大学高等学院の一年先輩だったことが後に判明した。思えば私が高等学院一年生時に遠藤氏は二年生、三年生に松村久義氏（国防部日学同で森田さんの一年後輩、この前年北海道恵庭の自衛隊に森田さんと一緒に体験入隊した十三人の一人、後に維新政党新風代表、故人）、武井宗行氏（国防部、楯の会一期生、故人）、小島孝之氏（アジア民主化運動代表）と我が母校は錚々たるメンバーだったのだ。むろん当時は知る由も無い。特段右翼的な高校ではない。至ってリベラルというよりノンポリ高校だったが、偶然こうなったのは皆あの時期に早稲田大学に進学したからだと思う。

五十五年前のこの納沙布岬事件は森田さんを語るとき最も重要な逸話である。納沙布岬で貝殻島に向けてハンドマイクを持って獅子吼する森田さんの写真がある。私はかねてこの写真に憧れ自分もこの日八月九日にこの場所でハンドマイクで叫びたいと熱烈に思っていた。

さて定年後のこの十三年間、全国各地から講演の依頼があり北海道から石垣島まで飛びまわっていた。一人で行くのは寂しい。ついては女性を連れていった。通称親衛隊または美女軍団という。その内人数も多くなってきた。主宰する「今さら聞けない皇室研究会」の講演（隔月）の固定客も加わり、講演のみならず観光を目的にする通称「愛国ツアー」を年に数回始めた。護国神社陸軍墓地行幸記念碑慰霊碑忠魂碑自衛隊記念館等愛国スポットを尋ねている。慰霊碑の前では「海ゆかば」を斉唱してきた。レンタカーを連ねての旅だったが最近は大型観光バスを使っている。一昨年は福島猪苗代湖の昭和天皇の新婚旅行天鏡閣等。昨年夏は留萌の三船殉難慰霊祭に二十数名で参加、ＮＨＫで全国報道された。今年二月は福岡県久留米市で講演を頼まれたのでやはり二十数名引き連れて行ってきた。

そしてこの夏、遂に念願叶って八月九日に納沙布岬を目指すこととなった。

前日八日に釧路空港で集合、男性十二名女性十二名、さらに名古屋から四名加わり総勢二十八名だった。釧路で昭和天皇行幸の神社二カ所を参拝。根室のホテルに宿泊。翌朝納沙布岬を目指した。納沙布岬では民族派団体が主催している集会に参加。その後いざ、灯台下の森田さんゆかりの場所に行き街宣を始めた。先発は維新政党新風神奈川本部長児玉一成氏。

氏は鉢巻きをきりりと締めて登場、並みいる美女軍団の嬌声を浴びた。続いて名古屋の愛国倶楽部会長伊藤国彦氏がマイクを持ち、美女軍団は日の丸を振って乱舞する騒ぎとなった。続いて愛知県きっての愛国者山田忠史氏がマイクをバトンタッチ、いやが上にも盛り上がった処に真打ち村田が登場。自分でいうのも烏滸がましいが街宣はひっぱり凧である。毎月最低三・四カ所の街宣に呼ばれて参加している。市ヶ谷防衛省前、朝鮮総連本部、議員会館首相官邸前、支那大使館前が常設舞台である。

以下は当日の街宣内容である。

森田必勝さんの御霊に報告

絶好の街宣日和で私の眼鏡も潮で曇って何も見えなくなりました。北方領土というのは、国後、択捉、歯舞、色丹の四島のことではないのです、北方領土というのは北千島と南樺太のことを言うのです。皆さん、北海道のことを北方領土って言います？　言わないでしょう。九州のことを西方領土って言います？　言わないでしょう。この四島は北方領土ではないんです。

さて、念願の納沙布岬で街宣をやることになりました。街宣というのは通常、まずその相手に対してものを言う。例えば、ロシア大使館前に行ったり、朝鮮総連前に行ったり、首相官邸、議員会館前に行ったりして、彼らに言いたいことをその相手に向かって街宣をかけるんです。

二義的には、一緒に来ている人たちにも訴える、その場にいる人たち、通行人に対しても訴える。それを街頭宣伝って言うのです。

今日は私は、あえてそうではなくて、今この貝殻島中空で私を見つめてくれている森田必勝さんの御霊（みたま）に対して、その後の日本を報告したいと思います。

森田さんが昭和四十五年十一月二十五日に逝かれて、その後の日本は一体どうなったのか。草場の陰から御覧になっているとは思いますが、念のために報告申し上げたい。

日本国の公務員は採用されるときに宣誓をします。誓いを立てます。それに署名、捺印します。それには何と書いてあるか。「私は日本国憲法を遵守し忠実に職務に励みます」。あらゆる公務員はそういう誓約書に署名するのです。警察官はもちろん、消防署員、海上保安官も、財務省とか総務省とかいったところの普通の公務員も、「日本国憲法を遵守し」と必ず宣誓するのです。

昭和四十五年の時点では、自衛官の「職務の宣誓」にはそれがなかった。自衛官の宣誓には「日本国憲法を守る」という言葉は入ってなかった。それはそうでしょう。明らかに自衛官の任務と憲法とは百八十度違う、正反対のものだからです。

ところが、昭和四十五年に三島先生と森田さんの蹶起を自衛官がヤジ、怒号、罵倒で見送

納沙布岬の著者

納沙布岬の森田必勝（左）

りました。それを見た政府は喜んだのです。しめた、と。誰一人、自衛隊員はついて行かない。これチャンスだと。そう言って、なんと自衛官の職務の宣誓に、「日本国憲法を遵守するという」一項を昭和四十八年に入れたんです。

三島先生、森田さんが草葉の陰でそれを知ったら、どんだけどんだけお怒りになるか。三島先生が言ったとおり、自衛隊がクーデタを起こす可能性は永久になくなったんです。まさに、自民党政府は安心して自衛隊というものの存在について、あとは飴玉をしゃぶらせ続ければいいんだ、ということになった。

二つ目に報告したいのは、天皇陛下が靖国神社に参拝されていました。あの世のお二人は信じられないかもしれませんが、天皇陛下が靖国神社に参拝できなくなったのです。それどころか、総理大臣も参拝できなくなったのです。この問題は、我々にとっては大変に大きな問題ですが、昭和四十五年にはそのようなことはなかった。昭和五十年の天皇の御参拝を最後に、以来この五十年ただの一度も天皇陛下は参拝されていないのです。そして平成の御代の天皇陛下は、遂に一度も参拝されずに、上皇になってしまわれた。これが永久に続くのです。まさに三島先生のおっしゃった、菊と刀の永遠の連環、軍人の名誉は天皇陛下から発せられる、だから天皇陛下は靖国神社の英霊に額づく。靖国神社と天皇、軍隊と天皇の連環は完全にここで断ち切られたのです。ご両名が知ったらどれだけお怒りになるか。私は、この二つだけで、三島先生が草場の陰でさらに腹を切ると思います。

三つ目に、昭和四十五年にはまたくなかった問題、あり得なかった問題。今、日本では子供たちの教科書が、諸外国の承諾を得なくては書けなくなったのです。昭和四十五年にはそのようなことなかった。昭和四十五年の文部省の教科書検査官は村尾次郎、この人は三島先生もよくご存じと思います。平泉学派の、平泉澄先生の直弟子です。皇国史観の権化だったのです。教科書検査官をやっていたのです。今、中国、韓国の了解を得ないと教科書を作れない近隣諸国条項ってのができてしまった。お二人は夢にもそのようなことになるとは思わなかったのではないでしょうか。

三島先生はこれからの日本にはもう期待などできないとおっしゃった。期待できないどころか、予想もできない失望の連続ではないですか。自国の教科書を、一国だけで書くことができない国。一体どこにあるのですか、世界中に。

さらに驚くべきことですが、中学校の部活の帰りの中学二年生の女の子が北朝鮮に拉致された、海岸で愛を語らっていた若いカップルが海岸から拉致された。今、特定失踪者、七百人とも言われる人たちが、北朝鮮に拉致されているのです。でも、日本国は手も足も出ない。拉致問題？　昭和四十五年にはそんなのはなかった。中国も北朝鮮も韓国も、四十五年十一月二十五日のあの事件で、自衛隊はどう動くのか、本当にものすごい勢いで監視していました。そして、自衛隊は一切動かない、とわかった。私はこれだけはご両名に言いたくないけど、あえて言います。お二人が腹を切った、あのわずか数時間後に、市ヶ谷ではまだ血液が洗われてなくて血の匂いがなまなましい時に、市ヶ谷駐屯地で自衛官は放課後の部活バレーボールの練習をやったのです。一日くらい練習休んでもいいではないですか。これが自衛隊なのです。それが日本なのです。私はこれを、あの世にいって先生と森田さんに言えるかな。

さらに、今日本は尖閣列島に上陸できなくなってしま。た、尖閣列島と石垣島の間にロシアや中国の潜水艦が、堂々と潜水ではない潜望鏡を水面に出して、堂々と航行していても何もできない。日本はなんにもできないんです。

尖閣問題？　そのよう問題は昭和四十五年にはなかったのです。繰り返しますが、靖国神社参拝、教科書、拉致、尖閣、竹島、なかったのです。慰安婦、強制連行、南京虐殺、大東亜戦争謝罪国会決議、村山談話、河野談話、終戦の日に武道館で天皇陛下がおことばで「深い反省」、そのようなものは昭和四十五年には夢にも考えられなかったのです。日本は三島先生の予想よりも遥かにどんどんと悪くなっています。これが現実。

悲しいかな、これを納沙布岬で森田さんに報告しなければならない。五十五年目の今日、念願叶って森田さんと同じここ納沙布岬で街宣をやることができたけど、森田さんに私はこのような報告しかできないのです。

「村田、おまえは何やっているんだ、いったい何をやってきたんだこの五十年」。まさに返す言葉もありません。私はろくでもない人生を過ごしてきました。「やっぱりおまえは学生時代と変わらなかったな。本当にあのときのままの村田だなあ。何一つ成長していないなあ」と森田さんおっしゃると思います。それでもいいから私はもう一度お会いしたいなあと思います。

納沙布岬に来たので、最後に北方領土について語りたいと思います。ロシア人に、北方領土は法律的にも歴史的にもどれだけ日本に正当性があるのだと語ると、ロシア人はなんと言うか。「よくわかった、でも戦争に勝ったのはどっちなんだ」。必ず最後に「戦争に勝ったんだよ、バルト三国もポーランドも東プロイセン、ケーニヒスブルク、ウクライナ独立国だ？そんなの関係ない。戦争に勝ったら占領する」。

これがロシアの論理であり、中国の論理であり、世界の論理なんです。私たちは理屈は二の次、とにかく軍事力しかないのです。せめて、自衛隊には、北海道で北方四島奪還のため、そして竹島奪還のため、尖閣死守のための、せめて軍事演習をやってもらいたい。そう叫び続けて行きたいと思います。最後にシュプレヒコールやりましょう。

「ロシアは北方四島から出て行けー！　出て行けー！　出て行けー！」

（「MM日乗」令和五年十一月号）

今村均大将と全日本学生国防会議結成大会

この業界の人で帝国陸軍の今村均（ひとし）大将をご存じの方は多いと思う。陸軍大学首席（恩賜の軍刀）。大東亜戦争開戦時は軍司令官として蘭印作戦を指揮。その猛攻撃にオランダ軍は敗退。インドネシアを占領し、軍政を敷いた。オランダ軍に拘禁されていたスカルノとハッタを解放しインドネシア独立義勇軍（PETA）を組織した。今村大将の善政はインドネシアの親日感情としていまだに残っている。

戦後、自決に失敗して東京に移送され（時に五十九歳）戦犯裁判。禁固十年。ところが今村大将は旧部下が服役するマヌス島で共に服役することを申し出たのだ。今村大将の申し出について、マッカーサーが「私は今村将軍が旧部下戦犯と共に服役するため、マヌス島行きを希望していると聞き、日本に来て以来初めて真の武士道に触れた思いだった。私はすぐに許可するよう命じた」と言ったとする説もある。

昭和二十五年三月から二十八年八月までマヌス島豪軍刑務所に服役したが、刑務所の廃止に伴い、他の日本人受刑者とともに巣鴨に移管され、二十九年一月に刑期満了で出所。入獄中から執筆を開始し、出獄四年後に『今村均回顧録』を完成させている。

一方で、出所後は、東京の自宅の一隅に建てた謹慎小屋に自らを幽閉し、戦争の責任を反省し、軍人恩給だけの質素な生活を続ける傍ら回顧録を出版。その印税はすべて戦死者や戦犯刑死者の遺族のために用いて、元部下に対して今村はできる限りの援助を施した。それは戦時中、死地に赴かせる命令を部下に発せざるを得なかったことに対する贖罪の意識からの行動であり、その行動につけこんで元部下を騙って無心をする者もいたが、それに対しても今村は騙されていると承知しても敢えて拒みはしなかったという。戦後に生き残った将星の中で、まさに亀鑑ともいうべき人であり、私は心から尊敬している。

余談だがパレンバン攻略の空の神兵奥本實中尉は戦後、戦死した部下の慰霊に後半生を捧げたそうである。今村大将と奥本中尉、相通じるものがある。接点があったのだろうか。

時は移って昭和四十三年六月十五日、東京市谷の私学会館ホールで「全日本学生国防会議結成大会」が開催された。参加者五百人、激励電報二十四通、予想だにしない大盛況だった。同時刻に左翼が日比谷野音で集会を開催しており、マスメディアは両方に取材攻勢をかけた。カメラのフラッシュと満場の拍手の中、議長として壇上で獅子吼したのは早大国防部の森田必勝さんその人だった。そして来賓として祝辞を述べたのは、今村均大将と三島由紀夫先生だった。今村均大将と、森田必勝さんがあいまみえていたとは！　令和二年十一月十日出版された『三島由紀夫と死んだ男——森田必勝の生涯』（犬塚潔著、秀明大学出版会）でこの事実を知り、何とも言えぬ感慨に襲われた。八十二歳の老将軍と二十三歳の青年はなにを語ったのだろうか。今村大将はこの三か月後に鬼籍に入る。この大会が大将の愛国の熱情の最後の発露の場所だった。

私は当時高校三年生。「せめてあと二年早く生まれて早大生としてこの大会に参加したかった」としみじみ思う。三島先生も森田さんも二年五か月後に鬼籍に入る。意外に早く後を追ってきたお二人に、泉下の大将はさぞ驚いたことだろう。そして三人は何を語ったのだろうか。今から五十年前の今日、東京はときならぬ台風（野分）に襲われた。新宿十二社のアパートの窓ガラスを激しい雨がたたいた。それを凝視する森田さんの心境はどのようなものだったのだろうか。

森田必勝命辞世

「今日にかけてかねて誓ひしわが胸の思ひを知るは野分のみかは」

（令和二年十一月二十一日記）

第三章　朝鮮・韓国との縁

崔三然先生からの手紙

昭和四十七年夏、大学四年生だった私は韓国に旅行した。朴正熙軍事政権全盛時代。まだ戒厳令が布かれ夜十二時以降は外出禁止であった。

約三週間の極めて貴重な体験をした。その半年前に訪問した台湾ほどではないが、戦前の日帝時代に郷愁を覚える方が多くて、とても楽しい生涯忘れられない旅であった。

この頃に朝鮮・韓国に興味をもち、その後何回も訪韓、平成十五年（二〇〇三年、五十二歳）には北朝鮮まで訪問した。今は韓国から入国禁止措置を食らっているが、また必ず訪韓したいと思っている。

というのは、尊敬してやまない崔三然先生が三年前に九十二歳で長逝され、現在ご遺骨は東京にある。いずれ故郷のお墓に埋葬されることになるが、その際には一片の土を掬（すく）いたいと思っている。

本章は朝鮮・韓国と私の縁について語りたい。

まずは崔先生からの村田宛のお手紙を紹介する。

御面晤を得た直後、平成二十一年（二〇〇九）頃のものである。

村田さまが活躍されている主題の参政権問題ですが戦後日本は米中韓半島からの間接

的な侵略にさらされておりながら政治家も国民もそれに気付かず、中には彼等の工作に加担している輩も多く、国全体が四分五裂の悲しくかつ危険な状況におかれていると小生は判断しております。日本は早く目を覚まして国家としてのアイデンテティを取り戻し自主的な国家としての前進をしなければ永遠に今の状況から抜け出せない危険にさらされているのであります。帝国主義・殖民政策の全盛期に地球表面の八〇％が植民地であったという資料があります。そういう時代を経て今の世界人類社会が開花し現代化して来ました。その今でもアフリカをはじめとする何十億の人類は飢餓と貧困と圧制に苦しんでいるのであります。侵略者が別に有ったのではなく、列強先進国は皆侵略者であり、そういう時代であったのです。その中で結果的に見て西洋列強先進国による殖民統治とはかけ離れて違った殖民統治を行ったのが日本の朝鮮半島そして台湾の場合であったと小生は率直に評価するものです。日本だけが戦後六十四年が過ぎた今でも侵略者呼ばわりを受ける理由は何処にもないのに彼等の工作に間接侵略に日本の国民はこぞって生涯永遠の大罪人として自らが服役している現在の姿は倒錯も甚だしいとみるものです。村田さまのご活動に大きな進展があることを祈ります。

○日本は桃源郷（シャングリラ）です。そこに住んでいる日本人は桃源郷に囲われて飼育されている羊のような存在です。このような世界で比類の無い幸福な国に住んでおりながら住んでいる国日本に対して敵対ないし反感とか恨を持ち続け生きている多くの朝鮮人韓国人中国人は人間として恥も知らぬ良心も無い日本のような立派な国に住んではならない人種なのです。彼等に対しては参政権はおろか日本人はもっと強固な姿勢でもって彼等に対する規制を強化すべきです。数千年間桃源郷で住めば今のような日本にならざるを得ないと理解はするのですがそれにしても今の日本はあんまりです。今の日本こそ大いなる革命を必要としているのです。

崔三然先生遺稿集『日本は奇跡の国　反日は恥』

崔先生は令和二年九月二十五日に逝去された。翌年の一周忌に先生の遺稿集『日本は奇跡の国　反日は恥』がハート出版より上梓された。私は編集部の依頼に応じて巻末に以下のような拙文を載せた。

崔三然先生が逝去されて早くも一年が経とうとしている。こうして寄稿させていただけるのは光栄の至りだが、書いていて心が痛む。いまだに残念であり口惜しい。

私が崔先生の知遇を得たのは平成十九年（二〇〇七）頃である。ある女性の紹介でお会いしたのだが、その紳士的物腰、清潔に歳をかさねた風貌、知性溢れるお話、私の父や伯父が使っていた古い戦前の日本語が懐かしく、まさに一気に魅了されてしまった。特に印象的だったのは、大日本帝国陸軍少年飛行兵時代とまったく変節していないということだ。世の中が激しく変転し、韓国・朝鮮、そして日本まで国を挙げて変節した。しかし崔先生は微動だにしなかった。帝國軍人として、日本を讃え、皇室を尊崇し、日本の国策に理解を示し、あの戦争をはっきりと肯定し、戦ったことに誇りを持っていた。もちろん韓国人としての祖国への忠節もまた堅固なものがあった。私の目の前に両国に忠節を尽くした軍人が忽然と現れ、私は驚喜した。実に嬉しかった。それから、何十回もお目にかかり教えを請い、拙い手紙をさしあげた。回を重ねるごとに尊敬の念は深まった。かかる日本人ありき。かかる韓国人ありき。私は両国国民に大声で叫びたかった。「ここに日本人としての見本お手本がいらっしゃる！　ここに韓国人としての見本お手本がいらっしゃる！」と。

以下、本書の紙面をかりて屋上屋を架すの惧れを顧みず、崔先生の魅力について語りたい。先生とお話ししていて驚いたことを、ほんの一部だが順不同で述べて行く。まず、本文にも登場するが日本の路線バスのおはなしである。一驚した。我々はまったく当たり前のように利用しているが、言われてみれば実に快適である。昭和四十七年（一九七二）二十一歳ではじめて訪韓した際に、ソウルで路線バスに乗ったことがある。座れなかったせいか、ものすごい乱暴な運転でつり革がちぎれてしまうのではないかと思うくらい必死で摑まっていたことを思い出した。

次に驚いたのは、「日本人と韓国人を比べると人間のインフラが日本のほうが遙かに高い」

とおっしゃたことだ。その時点まで私は韓国人の方が人間のインフラ（この言葉は先生から初めて聞いた）が高いと思っていた。なぜなら韓国では学校はもちろん、あらゆる集会の劈頭に「国歌斉唱」「国旗拝礼」「先人英霊に黙祷」の三つが欠かせない。日本ではこのようなことをするのはごく一部の人だけであり、一般の学校でこの三つをやったら大騒ぎになる。国旗国歌英霊に敬意を払う韓国人を私は羨ましく思っていた。昭和四十七年、朴正熙戒厳令時代に訪韓した私は、高度国防反共国家、反共の防波堤の印象が強く、孜々として反共の最前線に従事する韓国人を頼もしく好もしく思っていた。韓国軍人がお互いに挙手の敬礼するときに「統一」とか「必勝」とか小さく叫ぶ姿に憧れたものだ。なので先生のこの「人間のインフラ」発言に驚愕したものである。その後、先生を通じてのみならず、さまざまな情報に接してきて、韓国人もさまざま、中には従北派なる低劣な輩もいることを知るようになってきた。要するに私は我が保守業界では珍しい「親韓派」だったのである（今でも）。

崔先生に教わるまで知らなかったが、朝鮮戦争の上陸作戦で有名な仁川に、マッカーサー元帥の銅像がある。先生は「あの銅像を守るために我々老兵は戦ったんだ！　死守した」と嬉しそうにお話されたものだ。以下中央日報平成十七年（二〇〇五年）九月十一日号を引用する。

仁川（インチョン）上陸作戦（一九五〇年九月十五日）五十五周年を控え「マッカーサー銅

像撤去」を主張する市民、社会団体と銅像を死守しようとする団体の大規模同時集会が十一日、仁川自由公園一帯で再び開かれた。

韓総連所属大学生と民労総、全教組などの市民・社会団体会員四千人は、この日の午後四時ごろから自由公園マッカーサー銅像前の鳩の広場で「米軍強占六十周年反米自主宣布大会」を開いた。これに対して黄海道（ファンヘド）民会、北派工作団（ＨＩＤ）出身隊員ら市民団体会員一千人は午後一時三十分ごろから自由公園隣近インソン女子高校で「マッカーサー銅像死守決意大会」を開いた。

この過程で両側は自由公園周辺で互いに声を上げ、卵を投げるなど対峙していた。銅像死守決意大会で、彼らは「マッカーサー銅像撤去を主張する勢力は、北朝鮮共産主義者たちの立場を代弁しているもの」とし「現政府はむしろ彼らを保護しようとしている」と主張した。撤去を主張する団体の反米自主宣布大会では、民衆歌手パク・ソンファンさん（34）が「ノグン里の良民たちを撃ち殺せと命令したのがマッカーサー、新川（シンチョン）の良民たちを油で燃やしたのがマッカーサー」という歌詞の『マッカーサー』と2002年、米軍装甲車女子中学生死亡事件当時に発表した『ファッキングＵＳＡ（ＦｕｃｋｉｎｇＵＳＡ）』を歌った。大会が終わって、人々はマッカーサー銅像の方に移動。これを制止する警察と対立して投石戦となった上、警察のバスの上に上がって叫ぶなど衝突した。警察はこの日三十八の中隊三千四百人余りの兵力を公園周辺と両側の集会場などに配置した。一方、十五日には海兵戦友会などを中心に全国で一万人が集結する大規模「マッカーサー銅像死守決意大会」が開かれる予定だ。

私は日比谷の第一生命保険に昭和四十八年に入社した。同社は戦後GHQに接収されていた。マッカーサー元帥の執務室の隣の応接室で社長から辞令をもらった。元帥の執務室机椅子は今でも大事に保存されている。韓国で大変な英雄であることも知っていた。あの仁川上陸作戦が成功しなければ、釜山に赤旗が立って大韓民国は消滅したことは間違いない。韓国人がマ元帥に感謝することは理解できる。その銅像を崔先生も皆と一緒に守ったことがとても好もしく思えた。そのお話しを聞いて友人と韓国訪問することにした。行く前に先生から「韓国ではマ元帥をメガドと言うのだよ」と教えていただいたので、空港から電車バスタクシーを乗り継いでその都度「メガド」を連発してなんとかたどり着くことができた。無事に屹立していたので先生に報告したことを思い出す。あの銅像は米韓同盟の象徴なのだろう。永久に保存されることを望む。

平成三十（二〇一八）年四月、先生の九十歳のお祝いの会があり、私も招待された。盛大なものでとても楽しかった。ご令室が朝鮮古典舞踊を披露されたが玄人はだしで驚愕感嘆したものである。夫の九十歳の祝いに得意の舞踊を披露する妻。なんと美しいお二人だろうか。先生はとてもハンサムであり、昔はさぞかし浮名を流したことだと推察（確信）するが、たいへんな愛妻家でもあった。先生ご夫妻に赤坂の焼き肉屋に愛国女性団体「そよ風」幹部数人と一緒に招待されたことがあった。そのときのご夫妻のご様子を見ていると、先生は奥様が「可愛くて可愛くて」といった様子だったのには一驚した。韓国は日本の上を行く亭主関白民族だと思っていたのだが。

さてこのお祝いの会で私はスピーチを求められ、以下のように話した。

「私はこの会に参加して驚いている。このような素晴らしい会は日本にはない。考えられない。そもそも子供が親のためにかくも盛大な会を骨身惜しまず開催することは日本では珍しい。まして我が家ではあり得ない。私が九十歳まで生きたら。子供たちから『お父さん、まだ生きてるの。いい加減にしなさいよ』と言われてしまうだろう。そして奥様がこうして踊りを披露するなどますます考えられない。私は感心するのは、先生は奥様が可愛くてたまらないのだ、ということです」。

そして話題を転じて「私は先生を政治家に譬えればノルマンディ上陸作戦を指揮したアイゼンハワー将軍だと思う。私には夢がある。崔将軍の指揮下元山でも清津でも南浦でも良い、北朝鮮に上陸作戦を敢行する。参謀長は田母神俊雄閣下。上陸用舟艇の艇長は荒木和博軍曹そして私村田は二等兵として上陸用舟艇に乗船する。崔将軍の命令一下私は命を賭して敵の十字砲火の中を上陸するという夢です」。

会場は大いに沸いたのだが、私は半ば本気である。先生のような上官の命令なら水火も厭わない、どうせ戦争で死ぬのなら先生のような将星の御馬前で討ち死にしたいと真剣に思う。戦場で数々の美談武勇伝立派な突撃が記録記憶されている。日本軍の勇敢な突撃吶喊に敵は恐怖驚愕して蜘蛛の子を散らしたことも多かっただろう。特攻隊然り、白襷斬込み隊然り。もちろん日本軍にも本心は怖いし生き延びたいが、軍律厳しい中やむなく突撃した兵隊もいただろう。殺さなければ殺される土壇場だったこともあるだろう。しかし幾分か、どうせ死ぬならこの上官の下で、と思ったことも多かったのではないだろうか。私は、自分がもし戦争に行ったら、崔将軍のような指揮官の下で名誉の戦死をしたかったのではないかと思う。

少し脱線するが平成十年長野冬季五輪の際に、紀宮内親王殿下を間近に拝したことが二回ある。その気品に打たれた。あたかも音楽隊の吹奏する「エルガーの威風堂々」のなかを登場されたのだが、私はこのお方のためなら死ねる、と思ったのではない。このお方の御馬前に討死にしたい、と思ったのだ。崔先生には「将器」という言葉では片付けられない、そう思わせる魅力があったのだ。

先生は兎に角優しいお方だった。二十三歳年下の私の顔を見ると必ず「村田さんおからだ大丈夫ですか、働き過ぎですよ。すこしは休みなさい」とおっしゃってくださる。先生は癌の手術をなさったこともあったのに、私は健康そのものなのにいつもいつも私のからだを気遣ってくださる。一度ご入院先の病院にお見舞いに伺ったら、私の顔を見るなり「村田さん、お体だいじょうぶですか。少しはお体大切にお休みなさい」と言われて面食らったことがある。偉大な将軍は日頃から部下の将兵を二等兵に至るまでいたわっていたのではないか。だから一旦緩急あれば将兵は将軍の命令一下、あのお方が言うのだから、ここが死に場所だろう、と突撃していったのではないだろうか。

先生は軍人としての威厳があった。背骨がピシッと伸びていた。病院で崔先生が「ここの主治医はなぜか私のファンなんですよ」といたずらっぽく笑った。私にはわかる。主治医は「この患者、ただ者ではない」と感じたのだ。

私は中央日韓協会の会員だが、会員仲間と韓国料理屋で崔先生を囲んだことがある。仲間は一目で先生の威徳に感じて乾杯も後ろを向いて飲むなど最高の敬意を表していた。驚いたのは若い女性韓国人店員の応接である。我々に対するものと先生に対するものと応接がまるで違うのだ。畏怖の念を覚えているのだろう。優しいのに威厳がある。生まれ持ったものか帝國陸軍韓国空軍の訓練の賜物だろうか。除隊されて五十年。その威厳は些かも失われていない。

歿後半年たった頃だろうか、先生を慕う日本人数人でご遺族を招いてささやかな慰霊昼食会を催した。会の最後にご令室が挨拶に立ち、開口一番こうおっしゃった。「夫は男の中の男でした」。驚愕した。歿後半年、未亡人にこう言われる夫(仏様)が一体どこにいるだろうか。私は通夜の酒席で参列者の前で早くも夫(仏様)を罵る未亡人を見たことがある。永井荷風も、夏目漱石の未亡人が亡き夫の生前のだらしない姿をとくとくと語る雑誌の記事を「なんたる不貞」と斬って捨てている。

話しはかわる。先生は心から日本を愛し、尊敬していた。繰り返すがその気持ちは少年飛行兵時代となんら変節していなかった。韓国人から見たら「親日派」として糾弾されるだろう。私は韓国人に声を大にして言いたい。「先生は本当に愛国者だった。大韓民国を心から愛し故郷を愛し、熱烈に北進統一を願っていた」。崔先生は心から「韓国よ偉大な国になってくれ。この国歌（愛国歌）にふさわしい国になってくれ」と願っていた。この愛国歌については紹介したいエピソードがある。

大韓民国国歌（愛国歌）一番
東海の水と白頭山が乾き果て、磨り減る時まで
神様の御加護ある我が国万歳
無窮花、三千里の華麗な山河
大韓人よ、大韓を以て永久に保全せよ

私が顧問を務める愛国女性団体「そよ風」は、先生を招いて何回か講演会を開催した。その際は開会冒頭に君が代を斉唱し、続けて起立したまま愛国歌を一同で拝聴する。仲間の福住佳久氏がいつも両国国歌の動画を映写してくれるのだ。平成二十九年（二〇一七）一月七

日開催の時もその段取りでリハーサルまでやったのだが、先生は「愛国歌は今回はやめてくれ」と強く主張された。私は荘厳で美しいこの愛国歌は君が代に次いで好きな国歌であり、両国国歌斉唱こそ親善の象徴だ、と強く主張したが、先生は断乎として拒否された。その前月に釜山で所謂慰安婦少女像が立てられたことに先生は激怒され、「私は恥ずかしい。この韓国が恥ずかしい、この国はこの歌にふさわしくない。日本の皆様にお詫びの気持ちで一杯であり、その意思表明として愛国歌斉唱は断乎辞退します」とのことだった。結果は君が代だけになったが、当日会場で起立して口を真一文字に結び悲痛な表情で君が代を聴かれる先生のお姿を拝して、私も心から悲しく思ったものである。

先生はテレビの討論番組コメンテーターとして登場する金某なる某大学女性教授が、画面で反日侮日発言をするのを見ると「顔を伏せる、本当に恥ずかしい」とおっしゃっていた。お気持ちはわかる。私も外国に行って「日本は悪うございました」と土下座する元首相を見ると顔を伏せる。

今、日本では韓国ブームが去って嫌韓ブームであり、書店には嫌韓本がうずたかく積まれている。日本の保守派は韓国が大嫌い。日韓断交デモなるものもあり、私も参加したことがある。反共の防波堤だった朴正熙大統領全盛時代を知る私にとって、まさに隔世の感がある。何しろ昔は朝日新聞岩波書店はじめ、日本中の左翼が北朝鮮を礼賛し、韓国を激しく糾弾していたものだ。今、従軍慰安婦、強制連行、日帝三十六年の支配の恨みつらみというのか、今年（令和三年）の東京五輪でも韓国選手団の反日のパフォーマンスが問題になっている。どうしてかくも韓国は日本を刺激するのか。理由は山ほどあるが、崔先生が最晩年に私に教えてくれたことを紹介したい。

「村田さん、北朝鮮の奴らはヴェトナム戦争の成功の教訓を徹底的に研究しているんですよ。北ヴェトナムの勝利は米軍撤退にこそ由来するが、ではなぜ撤退したか、それはアメリカの厭戦ムード、有権者が戦争にうんざりしたことだった。北ヴェトナムが世界中のメディアやハリウッドを通じて、猛烈な反戦運動を展開させたのだ。これが功を奏して結果的に米軍は撤退して、サイゴンは陥落した。目を朝鮮半島に転じると仁川のマッカーサー像の撤去もその一環なんです。日本人は韓国人は韓国で反日活動ばかりしていると思っているが、実は反米活動はもっと盛ん。そして奴ら（北朝鮮＋韓国の従北派）が日本にしかける慰安婦だの、徴用工だのは、ヴェトナム戦争の反戦ブームの再現を狙っているのですよ」。

私は小膝をたたいた。なるほど、その通りである。どうやって日本人とくに保守派の心を韓国から離れさせるか。この一点で奴らは次から次へと仕掛けているのである。朝鮮戦争で日本が巨大な不沈輸送船になったことが、北の敗北の大きな原因だったことを、北の奴らは骨身に染みているのだ。だから日韓を離間させようとしているのだ。

しかし、すべて黙過するわけにはいかない。我が日本民族・国家の誇りを護るために奴らの攻勢に反駁していかねばならない。反駁すればするほど北の奴らは喜ぶというジレンマが生ずる。しかしこのジレンマを解く方法を崔先生は我々に示してくれる。

「日本が目覚めること、強くなることこそ東亜永遠の平和の唯一の道なのです」。

「日本人こそ世界の平和を実現できる唯一の民族なのです」。

私は大東亜戦争に協力してくれた韓国人朝鮮人に興味を持ち、資料を蒐集していた。何回か都内で講演させていただいたこともある。特に特攻隊の話は、語りながら涙を堪えられなかったものだ。特に昭和二十年三月二十九日沖縄洋上、戦闘機で特攻戦死した朴東薫（大河正明）伍長のことは印象深く、講演会では必ず話したものである。朝鮮北東部の咸鏡南道の興南市にいた朴伍長の遺族は朝鮮戦争の勃発で命からがら越南したが、父親は弟に「おまえの兄さんは犬死にではない。日本という国は決して悪い国ではない、特攻で死んだものの家族に対して責任を必ず持つ国だ」と言っていたそうだ。私は顔を伏せるしかない。日本は、天皇陛下も総理大臣も靖国神社に参拝すらできないのだから。

令和二年（二〇二〇）二月四日、千代田区の憲政記念館でウィルス禍をおして呉竹会（頭山興助会長）主催で崔先生の講演会が開催された。先生には奥様が付き添い、足下もややおぼつかなかったが、お元気に講演された。そのとき私は驚愕した。あの朴東薫伍長と崔先生は興南の工業学校で同時に（学校で初めて）少年飛行兵の試験に合格し全在校生徒の前で一緒に挨拶をしたそうなのだ。私が先生に「一歩違えば先生が特攻していたかもしれませんね」と問うと、「そうです。そういう時代雰囲気だったんですよ」とことともなげにおっしゃった。

私は昭和二十年五月の朝鮮映画社の「愛の誓ひ」（今井正監督志村喬出演映画）で、出征兵士が母校朝礼で整列する生徒に挨拶し、「出征兵士を送る歌」の斉唱で見送られるシーンを思い出した。清らかな声での朝鮮なまりでの斉唱には落涙したが、その場面と沖縄洋上の米艦船の猛烈な砲弾の中を特攻激突する戦闘機を思い浮かべてしばし言葉がなかった。なぜ私とのお付き合いの中で、先生はこの朴東薫伍長のお話をされなかったのだろうか。この講演会が先生の最後のものになってしまった。

先生は男性にも、もてたが特に女性にもてた。愛国女性の会「そよ風」の会長Sさんは語る。

「先生のお立場での御発言には、身命をかけてのご覚悟と、帝国陸軍の軍人であった時の誇りと、日本と祖国への愛情が溢れていました。先生は、物事の真実を一言で突く名人でもありました。一端を挙げますと、〇日本はパラダイス。〇差別？　少年飛行兵教育を受けた時は差別などなかった。〇慰安婦?!　そんなもの嘘、その時朝鮮人の男は何をしていたのか？〇謝罪？　頭を下げたら、大陸や半島ではどんどんやられます。〇村山談話以降も日韓関係も日中関係もかえって悪化した。〇中国北朝鮮による、日韓分断工作にのるな」。

Sさんはさらに続ける

「先生は、ダンディでおしゃれ。いつもセンスの良いシャツとジャケットを、素敵に着こなしていらっしゃいました。それらは、ご自分で選ばれていらしたと、ご家族から伺い、驚きました。お側に立つと、頼りがいのある男性らしさと深い包容力に包み込まれるようで、少年のような愛らしい笑顔も相まって、その魅力的なオーラに圧倒されました。

お葬式で流されていた曲は、いつも聞いていらしたという、レハールのオペレッタ（微笑みの国）、ゴッドファーザー、トゥーランドットなどで、先生の若々しさの秘訣がここにもあるように思いました。先生の講演会を開催できたことは、そよ風の宝です。もっといろいろお聞きしておけばよかったと悔やまれてなりません」。

「崔先生は、まさに日韓併合の目指した理想の人物を体現されているような方でした。その類まれなる精神力、忍耐力、包容力、知性、男らしさ、にあふれた日本の古き良き時代の優秀な軍人を彷彿とさせる方でした。崔先生のお言葉には、誇りある日本を取り戻せ、日本よ強くなれ、日本ほど素晴らしい国はないと自覚せよ、という願いが籠っていました。

祖国と日本の為に戦ってこられた、先生だからこその視点で、俯瞰してみた日本の姿は、日本人全体が知るべきことだと思いました。現在、中国や北朝鮮による日韓分断工作が行われているという具体的なご提言は、とかく、感情論に流されてしまう日本人にとって、肝に銘ずる事だと思います。先生に出会えたことは私の宝です」。

同じく「そよ風」の幹部Nさんは語る。

「崔三然先生の講演会をそよ風で三回開催しました。

講演会でお話しされる先生は、ネクタイに合わせたハンカチを背広のポケットにさりげなく入れられていたりと、オシャレでいらして、いつも背筋を伸ばされて、きちんとした綺麗な日本語で理路整然と話されていました。講演会では必ず『日本人は「道徳・正義・倫理」の三拍子そろった人が多い、もっと誇りをもって欲しい』と『日本ほど素晴らしい国はない』と力説されるのですが、自分を含め現在の日本人を考えて、恥いるばかりでした。そして崔先生の佇まい、振る舞いを見て、先生こそが戦前に日本で受けられた教育を、いまだ体現されている日本人より日本人らしい方だなと、昔の日本人を見ているようで、懐かしくさえ思えました。

先生は一方で、韓国の現状を非常に憂いておられました。講演会で先生は韓国の赤化について話されましたが『それは北朝鮮の工作で共産化されてきているせいだ』と熱弁を振るわれていました。今から思うとちょうど光州事件についてのお話だったと思います。その時私は司会をしていたのですが、お話が終わらず時間が超過してしまいましたので、先生に時間ですよと耳打ちいたしました。先生は『これはぜひ皆さんにお話ししなくてはいけない重要な事ですよ。司会者の方が止めさせようとしていますが、話を続けてもいいでしょう』と言われました。

いつも穏やかな先生が、珍しく力説されますので、休憩の後その続きをお話しいただくことにしました。

先生は祖国韓国をなんとかしたいという熱い熱い思いを、韓国赤化の決定契機になった光州事件等を例に出して、吐露されました。今になって考えればそれは、『同じ様に日本にも工作が及んでいるのですよ』と先生が、日本の現状に対する警告を吐露されたとわかります。続きをお話しいただいて良かったとつくづく思いました」。

崔先生がいかに女性を魅了していたかよくわかる。

最後に数年前病院にお見舞いに行ったときのことを紹介する。私が顔を出すと先生はむっくり起き上がり、風雲急を呼ぶ朝鮮半島の情勢を、腕を振回して情熱的に語り始めたのには驚いた。心底感服した。私はその頃六十五歳ぐらい、活動から引退を考えていたが、いい若い者が引退などと思ってはいけない、とつくづく思ったものである。

先生は未来を信じていた。未来を語るのがお好きだった。私は失われた日本と韓国の絆にのみ興味があり、両国の未来に絶望している。これからは不肖の身ではあるが、先生に倣い日韓の未来を語っていこうと思う。

私は最後まで希望を捨てず戦ってきた崔先生のようになりたい。

何歳になって女性にもてて きた崔先生のようになりたい。

そしていつかあの世に行って、天国カラオケで私の下手な韓国語の歌「サランへ」「イビョル」「ピョンジー」「ソウル賛歌」をお聞かせしたい、先生は呵々大笑されるだろう。合掌。

書評『朝鮮で聖者と呼ばれた日本人 重松髜修物語』(田中秀雄著、草思社)

本書を読み終えて感激措く能わず、更に二冊購入し知人二人に贈呈した。一人は朝鮮引揚げ者の滝沢晴美さんである。私は本書を読みながら彼女の父上山下英夫氏のことを何度も想起したからである。氏は若くして朝鮮に渡り京城高等工業(現在のソウル大学工学部)を卒業、朝鮮鉄道に奉職した。十数年間朝鮮北部の山中で、朝鮮人技術者労務者とともに鉄道建設に粉骨砕身したのである。戦後引き揚げて国鉄に奉職し、昭和三十九年ソウルに於ける土木建築学会に出張し二十年以上会っていなかった部下・仲間に連絡した。即座に二十五名も集まり徹宵の大宴会となった。皆それぞれ戦後韓国の鉄道技術者として活躍しており、口々に「山下さんはじめ日本人の皆さんが我々に手をとって技術を伝授してくれた、そのお陰で我々も韓国の鉄道も今日がある」と言って乾杯の嵐であった。滝沢さんは常々「日ごろニコリともしない父がこの話になると『人生最高の日だった』と相好を崩していたものでした」と述懐していた。私は是非とも彼女に本書を読んでいただきたいと思ったのである。彼女は本書の読後、しみじみと「この重松さんと言うお方は私の父みたいな気がする」と言っていた。贈呈したもう一人は八十二歳韓国人男性、崔三然先生である。十七歳で帝国軍人として終戦を迎えた方である。先生も本書を「そうです、この通りだったのです。当時の日本統治はこうだったのです」と絶賛されていた。

日本の所謂保守派といわれる人びとの多くは、台湾は親日、韓国・朝鮮は反日と思っている。事実その通りであろう。また保守派の人びとは日本が朝鮮半島の鉄道や灌漑等インフラを整備して朝鮮の近代化に大きく貢献したことを知っている。実際、日本は台湾よりもはるかに朝鮮を重視し、台湾が羨むほど善政を敷いたのである。しかし、日本人と台湾人との間にあるような感動的な心の交流が、日本人と朝鮮人との間にもあったことを知る人は尠い。日本の保守派で台湾の治水に貢献した八田與一を知らない人はいないだろう。彼が作った烏山頭ダムは現在公園として整備され、彼の銅像が建てられ顕彰記念館も併設されている。だが、朝鮮にも八田のように現地人から心から尊敬され、聖者と呼ばれ記念碑が建てられた偉人がいたのである。本書の主人公・重松髜修（まさなお）その人である。重松は朝鮮ではもちろん、日本でもまったく忘れ去られていた。今回、著者・田中秀雄氏が偶然発見し、あたかも土中から掘り出した偶像に、息を吹き込むかのように生き生きと蘇らせたのである。読みながら私はしばしば書を置き、天を仰ぎ涙をこらえ、表紙にある重松の温和にして威厳に満ちた顔を見つめた。嗚呼朝鮮にかかる日本人あり。日本人として生まれて本当に誇らしく、発掘してくれた著者に感謝の念に堪えない。

さて、併合前の朝鮮であるが、農村は疲弊しきっていた。仮借ない年貢の取立てで困窮した農民が、金を借りると金利が平均で月六～七％（年利約八〇％という高利）であり、彼らは二重の搾取に喘いでいた。総督府の前身である統監府で財政顧問として朝鮮経済の大改革に辣腕を揮っていた目賀田種太郎は伊藤博文統監の了解のもと金融組合を設立した。設立趣旨は次の三項目である。

一、田舎とくに農民の金融を疎通しその経済状態の改善を図ること。

二、本組合は兼ねて農事の改良に裨補すべきこと。

三、右のほか納税の便宜、貨幣の整理を助成すべきこと。

当初、設立された組合は全朝鮮で三十箇所であったが、理事はすべて東洋協会専門学校（拓殖大学の前身）を卒業したばかりの若者であった。彼らは朝鮮人の生活向上に燃えるような使命感と高揚感を持ち、衣食住はもとより山賊疫病等不安だらけの僻村に、馬の背に跨りあるいは歩いて赴任していったのである。日本人が作った組合というものに当初は半信半疑だった農民も、組合から低利で借りて高利の借金を返済できるのであるから次第に加入するようになり、中には生活のめどが立つ者も出てきた。

こうして金融組合は発展し、現在の農協とほぼ同じ機能を有する朝鮮人農民のために欠かせない組織となっていった。組合員に対する貸付はもとより近代農業技術の指導、農業機械や肥料の共同購入、農作物の共同出荷販売、婦人への衛生健康保健指導、運動会映画会、果ては結婚式の衣装（もちろん朝鮮式衣装）の貸し出しから式場披露宴会場の提供まで行う当時の農村の生活向上の重要な機関となっていったのである。

重松は大正四年に東洋協会専門学校の朝鮮語学科を卒業し、大正六年金融組合の理事として平壌の東約百五十キロのまだ虎や豹の出没する村に赴任した。大正八年、彼はいわゆる三一独立万歳事件で暴徒に撃たれて重傷を負い、二十七歳にして跛足となってしまう。本書のこの場面にはさながら西部劇を見るような興奮を覚える。しかし彼は怯むことなく、朝鮮人への愛情もいささかも減ずることもなく献身的に働き続けたのである。

重松は極貧にあえぐ農民の為に鶏卵を売って生活を向上させることを思いつく。採れた卵を組合が引取りまとめて販売し、売上代金は貯金させるという卵貯金である。これで将来牛を買い、そしてさらに土地を買うという計画だ。当時の朝鮮では、牛は大変貴重な財産であった。乗用車・トラック・耕運機を兼ね、乳を飲用にし、子牛を産ませて売り、最後は肉にできる大きな財産だったのである。牛を持つことは農民の果たせぬ夢であり、牛持ち農民は村に何人もいなかった。当時、朝鮮の農民は鶏を飼ってはいたが、品種も育成方法も劣悪であり、一羽あたり卵を年八十個ほどしか産まず、自家用が精一杯であった。重松は自腹を切って内地から白色レグホン等優秀な鶏を買い入れ、跛足を引きずって「鶏が牛を産む」と説得しながら有精卵を配って歩いた。しかし農民は「ただでくれる？　後から金を取るのだろう」「一年に三百個も産む鶏がいるわけない、日本人は嘘つきだ」「白い鶏は神様の使い。罰が当たる」「鶏が牛を産む？　笑わせるな」と相手にされなかった。しかし重松自ら自宅に鶏舎を建て、糞まみれになって雛を育てはじめたのである。彼は「養鶏宣伝歌」まで作っている。「やよや人びと心して　あしたに鶏の音に起きて　家業を励みその暇に　飼へや家ごと改良種」「農

家一戸に六七羽　残物利用の養鶏は　雛と卵の利益にて　いつしか殖える貯金高」。

こうした重松の熱心な説得に応じて、ようやく一人二人と卵貯金を始める者が現われた。その中の一人に尹某という五十歳の男がいた。彼は卵貯金をはじめて、しばらくして妻と子供二人を残して病死してしまう。組合に借金が三十七円残っていた。薬代等他にも借金があった。土地は少々持っていたので、組合は当然その土地を差し押さえることになる。重松は尹某の未亡人を訪ねて、鄭重に弔辞を述べた。彼女はさっそく返済の猶予を求めてきたが彼はこう切り出した。「あなたの家の白色レグホンは良く卵を産む。今までにご主人の卵貯金が四円ある。この四円であなたは子豚を買って育て、卵貯金も続ければ土地を手放さずに借金を返せますよ」。絶望に曇っていた彼女の目に小さな光が宿った。彼女は子豚を育て、三十七円の借金を返済し、さらに卵貯金と豚を売った金で遂に牛を購入するに到ったのである。そして遺児二人は学校へ進むことができた。

それまでの朝鮮の貧しい農村では未亡人の生活は悲惨を極めていた。その未亡人が卵で牛を買った。鶏が牛を産んだのである。村中に衝撃が走った。未亡人や貧しい子供たちが卵貯金で実際に牛を購入するのを目の当たりにして、村人が次々と雛を買って卵貯金を始めたのである。そして遂に村の全農家が牛持ちとなり、新聞で紹介され褒賞されるようになった。こうして昭和十一年、重松の頌徳記念碑が建立されたのである。彼の名は内地でも知られるようになり、昭和十五年十一月十日の紀元二六〇〇年奉祝式典に招待され、式典後に高松宮殿下に謁を賜ることになる。彼は殿下の朝鮮人に対する関心と同情の深さに感動し、嗚咽しながら奉答するのであった。

戦後すぐに重松は逮捕され下獄。取調べの検事が人払いをして重松に問う。「理事さん、私を憶えていませんか」。重松は誰だかわからなかった。「二十年ほど前に先生に鶏を頂戴して、そのお陰で退学せずにすんだ金東順ですよ」。あまりの貧しさに学校を辞めようとしていた金東順少年に、重松は秘かに鶏五羽を与えて励ました。五羽は順調に産卵し、なんと金少年は卵貯金で早大法科に進学して検事になったのである。金検事は重松と家族が無事に内地に帰るまで親身に面倒を見たのは言うまでもない。

本書には重松以外にも痛快な日本人が多数登場する。一人だけ挙げよう。重松と同じ朝鮮金融組合の理事で、二年後輩の中村四郎である。彼は大正六年、満洲と朝鮮の国境の鴨緑江の河畔で行われた秋祭りの余興で、ある満洲人と朝鮮人の対抗相撲試合を見に行った。五人抜きすれば優勝であり、優勝賞品は立派な牛である。朝鮮側に強い青年がいて、四人抜いた。ところが五人目で破れて、今度は満洲側が四人抜いた。牛は満洲人に取られると諦めかかったときに小柄な中村が出て（当時は朝鮮人は日本人だった）、満洲人を簡単に転がし、五人抜いて見事に牛を獲得した。しかし彼は牛を受け取らず、最初の四人抜きした朝鮮人の青年に与えたのである。やんやの喝采が相撲会場にとどろいた。翌年、同じ河原で牛が洪水に流されてしまった。見ている朝鮮人たちは「アイゴー」と泣き叫ぶばかりである。知らせを受けた中村は小雪の舞う河原に急行し濁流の中に飛び込み悪戦苦闘の末、息も絶え絶えになりながらもとうとう牛を救い出したのである。河原はまたも朝鮮人たちのやんやの喝采に包まれた。しかしこのことが遠因となり、中村は病没してしまう。享年二十五。

日本人かく戦へり。朝鮮半島で貧困と陋習に喘ぐ農民のために、かくも一身を犠牲にして戦ってきた日本人がいたのである。日韓併合百年で菅首相は謝罪談話を出したが泉下の重松髜修や中村四郎が聞いたらなんと言うであろうか。

（『伝統と革新』第三号、平成二十二年一月）

『日帝支配下』の朝鮮での中等学校野球～平和だった三十六年の半島行政～

昨年、第八十八回全国高等学校野球大会は決勝戦早実対駒大苫小牧が昭和四十四年大会以来の再試合となり、熱狂的な盛り上がりを見せました。私事ですが、娘が早実高等部三年に在学中であり、しかも私自身、父母会会長職を務めていた関係上、甲子園に応援に行ったり寄付金集めをしたりと大忙しでした。こうしたなか、ある朝鮮引揚者との雑談で「戦前は朝鮮からも甲子園に出場した、釜山商業とか仁川商業とか」とのお話を伺いました。かつて台湾の嘉義農林が甲子園で活躍したことは聞いておりましたが、言われてみれば朝鮮からも出場したのは当然のことでした。早速少々調べてみましたので、以下発表いたします。

全国中等学校優勝野球大会（これが当時の正式名称）の第一回大会は大正四年（一九一五）八月十八日から豊中大球場で行われました。予選（地方大会）参加校は七十三校、本（全国）大会出場校は秋田中学（東北地区）早稲田実業（東京）、山田中学（東海）、京都二中（京津）、和歌山中学（紀和）、神戸二中（兵庫）、高松中学（四国）、鳥取中学（山陰）、広島中学（山陽）、久留米商業（九州）の計十校、決勝戦で京都二中が二対一で秋田中学を下し初の優勝校となりました。第一回大会の地方大会参加校七十三校は第八十八回の四千百十二校とは比べるべくもありません。大正四年の中学校の数は審らかではありませんが、大正六年には中学校数三百二十九校、生徒数十四万七千四百六十七名だったとのデータがあり、野球部のあった中学は決して多かったとはいえないと思われます。

そもそも野球が日本に伝来したのは明治十一年、開成学校（後の一高・東大）においてはじめてプレーされたと言われており、一高対高師戦が対外試合の嚆矢といわれております（諸説あり）。その後、野球は急速に広まりましたが依然一高が強く、明治二十年代は一高時代と言われました。明治三十七年六月一日に早稲田と慶應が各々一高を破り、一高時代は終焉、早慶時代を迎えます。翌三十八年には早稲田が各対抗戦に勝って創部四年目にして球界の覇権を握り、アメリカ遠征まで敢行しました。しかし、この頃野球にあまりに熱狂するため早慶戦が中止されたり、明治四十四年八月に東京朝日新聞に野球害毒論が二十二回にわたって連載されたりしました。この連載第一回の冒頭部分をご紹介します（以下引用は旧漢字を新漢字に改めた。ゴシック体の文字は見出し)。

「**野球と其害毒**　近年野球の流行盛んなるに従いて弊風百出し、青年子弟を誤ること多きを以つて、本紙はしばしばその真相を記して父兄の参考に供する所ありたり。しかるに野球に狂せる一派の人々は、本紙の記事が己れに便ならざるを以つて、種々卑劣なる手段を以つて本社に妨害をなし、或いは担当記者に対して迫害を加えんとす。しかれども本社が青年の前途に対する忠実なる憂慮は、これによつてますます切ならざるを得ず。ここに数名の記者を派して、教育に関係ある先達の公平なる意見を聞き、以つて最後の鉄案となさんと欲す」以下、害毒論が続きますが理由の一つに「地方中学において、校長の人気取りに利用される」というのがあり昨今の新設高校の野球への取り組みを見るに興味深いものがあります。しかし人気は衰えることを知らず野球害毒論のキャンペーンを展開した朝日新聞社は、それから四年後に全国中等学校野球大会を開催するにあたって、なんと次のような社説を掲載します。

「攻防の備え整然として、一糸乱れず、腕力脚力の全運動に加うるに、作戦計画に知能を絞り、間一髪の機知を要するとともに、最も慎重なる警戒を要し、而も加うるに協力的努力を養わしむるは、吾人ベースボール競技をもってその最たるものと為す」。

さらにみずから展開した「野球害毒論」を否定するために、試合前にはホームプレートをはさんで礼をするという儀式を導入し、全国大会で優勝したチームにスタンダード大辞典と五十円の図書券、準優勝チームに英和中辞典を贈るなどして、野球の教育的意義を強調しました。こうしてスタートした中学校野球大会ですがテレビはもちろんラジオ放送（昭和二年から）も無かった当時でも国民は地元代表の活躍に熱狂し大人気となりました。

翌年（大正五年、一九一六年）第二回大会は地方大会百十五校から勝ち抜いてきた十二校が豊中において流汗淋漓、激闘を繰り広げ東京代表の慶應普通部が初出場初優勝に輝きました。朝鮮における地方大会は既にこの第二回時に創設される計画があり優勝旗までできていたのですが、朝鮮総督府の学務局が「内鮮人融和のためには努めて対立的観念を持たせぬやうにしなければならぬ、従って假令野球競技であっても、内地人と鮮人（注）が各一団を成して勝敗を争ふが如き場合あるとすれば、統治上甚だ面白くない結果を来す虞があるからこの大会許すこと罷りならぬ」と差し止められてしまったのです。

（注・当時の一般的表現であり差別的意味はない）

日韓併合からわずか六年しか経過していないのでやむを得ないとも思われますが「野球とか庭球とかの競技によって内鮮人を相互に親しましめる機会を与えた方が却って融和を早くする」との意見もかなりあったそうです。余談ですが初優勝の慶應普通部の選手にジョンという姓の外国人選手がおり大活躍。翌年の第三回大会にも出場しています。

翌年の第三回大会（大正六年、一九一七年）は地方大会百十八校、会場を西宮市鳴尾球場に移して十二校が熱戦を繰り広げ愛知一中が優勝しました。

翌年（大正七年、一九一八年）第四回大会は八月十三日地方大会百三十七校から勝ち抜いて来た出場校十四校は鳴尾に集合済みで、組合せ抽選会も開いていましたが八月三日に富山県から全国に広がった米騒動により、十四日、朝日新聞社は延期の社告を出し中止となってしまいました。

翌年（大正八年、一九一九年）第五回大会は地方大会百三十四校、全国大会十四校で争われ神戸一中が優勝しました。

なお神戸一中は表彰式後の場内一周を「われわれは見世物ではない」と拒否し、優勝旗授与後直ちに退場したというエピソードが伝えられており、当時の中学生のプライドを垣間見ることができ興味深いものがあります。

第六回大会（大正九年、一九二〇年）は百五十七校が参加、十五校が全国大会に出場、関西学院中学部が十七対〇で慶應普通部を下し初優勝しました。この頃国民のあまりの熱狂のためか種々問題が発生していました。この年、初出場豊国学園（後の門司工業・福岡県）の某投手は前年に法政大学の投手としてリーグ戦に出場していたことが判明。また、関西学院中のエース某は大会前に肋膜炎を発症したが、三十九度の熱をおして出場、決勝戦まで登板しこのときの無理がたたったのか大会一年半後に病歿してしまいました。その他、脚気により心臓麻痺の危険を指摘された選手が何人も出場して物議を醸しています。さらに有名選手の引き抜きが横行したり、わざと落第して卒業せずに翌年の大会に出場したりと、まったく過熱してきておりました。

こうした過熱気味の雰囲気の中、初の朝鮮大会は大正十年（一九二一）七月二十四日（日）正午、京城市内の龍山鉄道公園において開催されました。栄えある出場校は京城中学・龍山中学・仁川商業・釜山商業の四校でした。以下二十六日付京城日報から引用します。

「全国中等学校野球大会　釜山、仁川両商業優勝　一時物言ひとなったが一日は盛況裡に終了した。　朝鮮体育協会主催同業朝日新聞社者主催の全鮮中等学校野球大会は既報のとおり二十四日正午より龍山鉄道公園で開催、定刻大会出場の京中・龍中・仁商・釜商の四校選手ユニフォーム姿で入場。試合場を●む●の如き観衆は二万を●●、急霰の如き拍手に迎えられて、此の未曾有の壮挙は開催され型の如く入場式を終わり井上協会野球部理事挨拶を令べて試合に入る」（●は文字判読できず）。

第一回戦は京中対釜商であり午後〇時四十五分に試合開始。京城日報は、

「（略）京中軍日置（選手）の本塁打等快打続出したが釜山軍優勢にて遂に五対九で釜山商業優勝し赤い応援旗が翻り赤い大旗吊れてゐた京中軍の陣営は寂として声なく、釜山より長躯北上した百余の応援団は意気上がり凱歌盛んに起こる。時に三時四〇分」と伝えています。

第二回戦は龍中対仁商で午後四時三〇分試合開始。同じく京城日報から引用します。

「（略）第四回で仁商軍守備、龍中軍走者一・二塁に在って打者が四球か三振かの瀬戸際に審判者のやや不明瞭な宣告で大物言ひが始り関西学院の二の舞かとさへ思はれたが此の日協会は整然と此の紛擾片つけて十分の後には試合再開・・中略・・遂に三点を奪取し五対六で仁

商軍優勝。敗けた龍中軍の選手は紫の小旗を捲いてしまった三百の応援隊に取●かれて悲憤の熱涙に咽んでいた。斯くて未曾有の壮挙である全鮮中学校野球大会第一日は盛況裡に終了した」。

翌二十七日は愈愈朝鮮大会優勝↓全国大会出場を決める決勝戦であり京城日報は次のように伝えています。

「**全鮮中等学校野球大会　決勝試合に観衆前日に倍す　光輝ある優勝旗は釜山商業の手に帰す**（略）観衆は前日に倍加し雑踏を極め場内転転、凄愴の気に満つ。両軍の陣容前日の如し。午後4時万雷の如き拍手のうちにプレーを宣し仁川商業の先攻に試合開始す。（略）斯くて第九回に於いて十七対四をもって釜山軍大捷し井上協会理事の手に高く捧げられたる優勝旗は光栄ある釜山商業選手の手に帰したり、午後六時四〇分試合終る」。

わずか四校にて戦われた初の朝鮮大会でしたが、大いに盛り上がったと推察されます。この大正十年に朝鮮に中等学校が何校あったのか判然としませんが、大正五年の総督府の資料を見ると京城中学（生徒数六百三十三名）平壌中学（百七十六名）釜山中学（二百九十四名）とあり、さらに仁川公立商業専修学校（六十一名）釜山公立商業専修学校（百十二名）私立善隣商業学校（京城・百二十名）の名が見られ、平壌中学・釜山中学・善隣商業には出場資格があったにもかかわらず野球部がなかったのではないかと推察されます。

さて、この年、大正十年は三・一独立騒擾事件（所謂万歳事件、大正八年）のわずか二年後ですが、朝鮮も内地もまったく平和そのものでした。前述の全鮮中学野球大会の初日には京城高商グランドにて十八銀行対朝鮮殖産銀行の野球試合も行われています。晴れの全国大会へ出立準備に釜山商業が汗を流しているこの八月上旬、東京朝日新聞は次のような東京でのエピソードを報じています。

「**師団対抗の野球試合　昼寝の閑も惜しんで猛練習　選手は何れも腕に覚えの猛者連　興味を惹く今日の試合**　野球熱は近来軍隊に迄及び士気を鼓舞する上から臨機応変の術策やチームウオルクの微妙な統一やらが軍隊教育上無意味で無いといふので盛んに練習され居るが本日午後二時から第一師団歩兵一聯隊の営庭（赤坂）で同聯隊と近衛歩兵第三聯隊と火の出るような勝負が行われる。特に一方が何彼につけて特別扱いの近衛と来ているのでどちらも負けては師団の名折れと昼寝の時間も惜しんで双方軍隊式猛烈な練習をやっている。選手は双方とも専門学校出の志願兵が多く、一聯隊の方は慶應で補欠をして居た岩橋君が投手、岩崎久邇男爵の次男商大出の岩崎君が捕手、其の他遊撃の池田君早大旧選手一塁田代君が横浜ナイン、三塁山本君が旧七高の選手といふような猛者揃い。一方近歩三聯隊は五高時代の投手橋本君京大出の捕手松平君一高出の町田君（三塁）旧明大主将小西君（遊撃）学習院出の瀬脇君（一塁）など（略）近衛が勝つか一師団が勝つか勝負専門の兵隊さんだけに近頃面白い試合である」。

　この記事には一聯隊営庭での練習風景の写真が掲載されていますが、軍帽軍袴に白いシャツ腰に手ぬぐいといったいでたちであり「昼寝返上」など軍隊も実にのんびりしており微笑ましく産軍学そろって野球ブームに沸いていたものと想像されます。なおこの夏のわが国の最大の話題は内鮮ともに皇太子殿下（後の昭和天皇）の欧州御巡啓でした。

さて、いよいよ第七回大会（大正十年八月十四日より五日間）が鳴尾球場（東西二球場あり。兵庫県鳴尾村現在の西宮市鳴尾）で行われました。この回は地方大会二百七校、全国大会十七校が出場しましたが、外地からは朝鮮代表・釜山商業と並び、関東州から大連商業が初出場しています。余談ですが、関東州の都市は旅順大連両市に限られていましたが、そこには大連商業・南満工業・旅順中学の三校が鼎立していて盛んに野球熱が上がっており、関東州の野球はこの頃ピークを迎えていたようでした。かくて大連商業は勇躍大連港をあとにし、釜山商業も釜山港を出発し、一路鳴尾に向かったのであります。余談ですが、八十年後大韓民国大統領に釜山商業出身のノ・ムヒョン氏が就任しています。

さて、気になるのははるばる外地から遠征の両校の費用です。従来、主催の朝日新聞社は全国大会出場選手及び監督の往復の汽車汽船賃を負担していました。しかしこの大会から汽車賃の他に大会前日からそのチームが敗退（または優勝）するまでの間、一人一日に付き二円の滞在費を補助することになりました。これは欧州大戦のあと諸物価高騰したことに加え、各校とも野球が盛んになればなるほど、地方の予選大会が終わるまでに部費を使い切ってしまうことになったのです。全国大会に出るためにはどうしても先輩の寄付を仰がねばならず、それも一回二回ならば兎に角、三回四回と重なると無理を生じる実情になってきたためです。いずれにせよ、はるばる外地からの二校にとってはこの二円はとても有難いものだったことでしょう。なお余談ですが、翌々年の第九回大会からは勝敗に関わらず、大会の最終日まで一人一日二円を補助することになりました。ついでに言えば第十回大会（大正十三年、一九二四年）に甲子園に会場が移ると、入場券の売り上げから支弁されるようになり、同時に一人一日三円五十銭に増額されました。

さて、大会初日の様子を東京朝日新聞は翌八月十五日（月）に次のように報じています。

「**烈日の下　鳴尾原頭に　覇を争ふ全国の猛者　熱狂せる数万の観衆**

全国のファンが待ちに待った其の日が遂に来た、大阪朝日新聞主催第七回全国中学校野球争覇戦の火蓋は愈々十四日阪神間鳴尾原頭に於いて切られた。（略）京阪神はもとより全国から集まったファンは定刻前から会場指して詰めかけ午前八時といふに既に場を繞らす大スタンドは立錐の余地無く観衆無慮四万を算した。軍楽隊の吹奏する壮快なるマーチに伴われて参加十七チーム二百余の健児は軽快なユニフォーム姿で壮観な入場式を行った。急霰の拍手万雷の歓声一時に湧いて鳴尾の天地を震撼せしむと覚えた。やがて前年度の優勝校関西学院中学部の代表者優勝旗を返還し大会委員長荒木京都大学総長によって開会を宣せられる。其の辞や簡なれど大会の趣旨は遺憾なく言い尽くされた意義深い一言である。（略）烈日の下観衆は熱狂し試合は刻々に白熱化し興亦深し」。

釜山商業の内地における歴史的な第一戦は鳴尾西球場に於ける杵築中学戦でした（杵筑中学は山陰代表・四年ぶり二度目の出場）。時に大正十年八月十四日午前十時十分。ここに栄えあるナインを列記して其の栄誉を称えます。

遊　福田　二　横道　三　村田　左　三好　一　白井　投　山本
捕　二木　右　下條　中　鈴木

試合は釜山商業が大勝しました。

釜山	2	2	0	2	0	0	3	2	6	17
杵築	0	3	1	1	0	1	0	2	0	8

二回戦に進出した釜山商業は、なんと強豪和歌山中学と対戦することになりました。和歌山中学は大正四年の第一回大会以来、一回も欠けることなく全国大会に出場し続けていた強豪中の強豪でした。試合はあわや零封かと思われました。九回表、釜商の投手山本と捕手二木の意地の安打で一点返したものの二十一対一で釜商の夏は終わりを告げたのでした。

しかし和歌山中学は、この大会で初優勝をはたしており、釜商ナインはもって瞑すべしと言えるでしょう。ついでながら大連商業は龍ヶ崎中学を五対三で下し、さらに岡山一中を十六対七で下し準決勝に進出、京都一商に十四対四で涙を呑んでいます。

この年から昭和十六年の第二十七回大会が戦争で中止されるまで外地の中学の全国大会出場は続くのであります。

翌大正十一年（一九二二）に朝鮮教育界に於いて大きな出来事がありました。

新朝鮮教育令（第二次朝鮮教育令）の施行です。ここで本題の野球とは少し離れますが当時の学制について簡単に申し上げます。

併合前朝鮮には科挙受験の予備校である成均館および東西南中の各校が京城にあり各郡には習字と儒教を教える郷校、各面・洞には書堂（または書院、寺子屋のようなものか）があるのみでした。しかも明治二十七年（一八九四）に科挙制度が廃止になると書堂以外は急速に廃れてしまい、有名無実のものになってしまいました。当時の朝鮮には極めて厳格な身分制度がありました。両班・地方両班・中人・常民・賤民です。両班・地方両班の子弟（男子のみ）は前述の成均館等に通い中人の子弟は郷校・書堂に通っていたようです。常民と賤民はほぼ全員文盲であり女子は身分を問わず大多数が文盲でした（文盲という言葉は最近は使われないようで「識字率が低い」と言い換えます）。併合（明治四十三年、一九一〇年）の翌年に総督府は朝鮮教育令（第一次）を発し四年間の普通学校を設立、その上に高等普通学校四年を設置しました。高等普通学校には師範科と教員速成科を併設して普通学校の教員を養成し、同時に女子高等普通学校を設けこれにも師範科を設けたのです。さらに普通学校卒業者には実業学校（商業・農業・工業・簡易実業）、高等普通学校卒業者向けに専門学校を設けておりました。

そして大正十一年二月の第二次の教育令の発令となりました。

総督府の告示によりますと「逐次学科等の改善を行い来たりしが今や併合後十有余年を経過し時勢の進歩とともに朝鮮人の向学心大いに進みたるを以って朝鮮人に対する従来の教育制に革新を加うるの必要を認め（略）朝鮮人子弟にも内地と同一程度の教育を施し併せて正式に内地の上級学校に入るの道を開き（略）」とあり、四月には新制度の学校が始業しました。これは所謂三・一独立騒擾事件により朝鮮人の間に実力養成の機運が高まったこと、総督府内に内鮮人間の格差解消の意向が生じたことによるものと思われます。また、次ページの表を見る通り生徒数が急速に増加しており、併合十年を閲して灌漑施肥等農業技術の伝播により米穀の収穫量が飛躍的に増大したことが、朝鮮人の教育充実の要望に繋がったものと思われます。ちなみに内地でも、第一次世界大戦による好景気を反映して上級学校への進学熱が高まり、多数の中等学校・実業学校・高等学校が設立されています。

主として国語（日本語）を使用する児童（つまり日本人）の通う小学校と、主として朝鮮語を使う児童（つまり朝鮮人）の通う普通学校は同じく六年制とし中学校と高等普通学校を各五年制として同等としたのです。その他中等学校野球に関係ない部分は省きますが新朝鮮教育令の中で二点のみ特筆します。

一、国語常用者の学校には朝鮮語を加うることを得しめ、国語を常用せざる者の学校に於いては朝鮮語を必修せしむ。
二、国語を常用せざる者の学校にありては、歴史及び地理に於いて特に朝鮮に関する事項の教授を従来よりも一層詳ならしむ。

総督府が朝鮮人に日本語を強制したと思っている方は奇異な感を持たれるかも知れません。

「国語を常用せざる者（朝鮮人）の学校（普通学校）に於いては朝鮮語を必修せしむ」とわざわざ謳っているのは理由があります。併合時殆どの民衆は文盲だったのですが一部の識字階級も漢文を読み書きできるのみ、郷校・書堂でも漢文しか教えていませんでした。あらゆる官公署・祭祀文書はほとんどが漢文で書かれていました。大韓帝国の官報にもハングルは極一部しか使われておりません。古来、朝鮮では漢文を真書と言って尊重しハングルは諺文と称して女子供の使う文字として蔑視していました。しかも少数のハングルを解する人も、地方により書き方、読み方が異なり、お互いに通じなかったのです。それを総督府は統一して日本の漢字カナまじりのように漢字ハングルまじりを作りだし、朝鮮に普及させようとしたのです（原案は福沢諭吉・井上角五郎・姜偉、最初に広めたのは総督府の前身統監府）。ちなみに総督府が作った普通学校向けの朝鮮語の教科書が現存しています。

「歴史及び地理に於いて特に朝鮮に関する事項の教授を従来よりも一層詳ならしむ」。

これも奇異な感を持つことと思います。それまで、郷校・書堂では四書五経十八史略を教えて、朝鮮の歴史は一切教えていなかったのです。宗主国と李氏朝鮮の関係は、いわば旧ソ連とバルト三国かウクライナ、またはモンゴル人民共和国のような関係だったのです。したがって、総督府が朝鮮の歴史・文化を教えようとしても知っている人は半島には殆どいませんでした。そこで総督府は朝鮮の歴史や文化芸術を発掘研究する「朝鮮史編集会」を設置し日本人と朝鮮人半々で任に当たらせました。朝鮮総督府編纂「朝鮮事情昭和十九年版」に「朝鮮の文化は其の淵源甚だ遠く、且つ優秀なるものもまた少なくない。然るに従来これらに関する記録・古文書其の他資料の保存方法不充分なる為逐年湮滅の傾向があったので、大正十一年十二月斯道専門の内鮮学者を挙げて朝鮮史編纂委員会を組織し〈中略〉朝鮮史編集会を設置した」とあります。

この間の学校数及び生徒数の推移を一覧表にしてみました（表1〜表3）。

その他、小学校・普通学校卒業者の進学先として実業学校（商業・工業・農林・師範）が整備され、さらに中学校・高等普通学校卒業者向けの高等教育機関として大正十三年（一九二四）に京城帝国大学豫科・大正十五年（一九二六）に京城帝大が設立されました。さらに専門学校として法科専門学校・高等商業・高等工業・高等農林学校・高等医学専門学校が相次いで設立され、朝鮮の教育は一気に内地に肩を並べるところまで成長しました（高等教育及び実業・

	小学校		普通学校	
	校数	生徒数	校数	生徒数
明治 44 年（1911）	128	15,509	172	20,122
大正 8 年（1919）	380	42,811	317	89,288
大正 11 年（1922）	419	51,918	855	236,172

表１　小学校の校数及び生徒数の推移

	中学校		高等普通学校	
	校数	生徒数	校数	生徒数
明治 44 年（1911）	1	205	5	819
大正 8 年（1919）	5	2,010	12	3,156
大正 11 年（1922）	7	3,080	21	7,709

表２　中学校の校数及び生徒数の推移

	高等女学校		女子高普		書堂	
	校数	生徒数	校数	生徒数	校数	生徒数
明治 44 年（1911）	3	515	2	394	16 千	141 千
大正 8 年（1919）	11	1,905	6	687	23 千	260 千
大正 11 年（1922）	13	3,736	7	1,358	24 千	298 千

表３　高等女学校の校数及び生徒数の推移

専門学校は内鮮共学でした）。

こうして大正十一年四月に新制度の学校が始業したのですが、話を野球に戻します。この年の中等学校野球第八回大会の第二回朝鮮（全鮮）大会は七月二十七日より釜山商業・京城中学・龍山中学・釜山中学・仁川商業・善隣商業（私立・日本系）の六校で、京城の訓練院において戦われました。昨年優勝の釜山商業はレギュラー七名が卒業してしまい、下馬評は京城中学と釜山中学に集まっていましたが、京城中学は釜山中学に五対二で快勝し、決勝戦は京城中学と仁川商業で戦われ、六対〇で京城中学が晴れの全国大会出場を決めました。両試合とも高橋投手の好投が光っていたそうです。この全鮮大会の前後には、神戸高商が遠征に来て龍山満鉄グランドにて対戦、大いに話題になりました（入場料五十銭軍人学生三十銭）。さらに法政大学が遠征に来て、釜山の大正公園にて全釜山と対戦、京城では京中グランドで京城軍と対戦しています。当時の新聞を見ますと、野球こそ最高の娯楽であったようです。ちなみに、京城中学は朝鮮随一の名門で、日本人の秀才を集め、生徒の多くは内地の高等学校や京城帝大予科等に進学していきました。戦後はソウル高校として、今もなおソウル大学（前身は京城帝大）への進学者で一・二を争っているそうです。さらに余談ですが、争っている相手学校は京畿（キョンギ）高校で戦前の京城高等普通学校です。

さて、八月十三日から六日間にわたり、鳴尾原頭にて繰り広げられた全国大会には、前年と同じく外地二を含む十七地区の代表が出場しました。京城中学は第一回戦に神戸商業に健闘むなしく八対三で敗退しました。

ここに京城中学の選手名を記して、その名誉を称えます。

鈴木兄・高橋・重田・日黒・久保・山田・鈴木弟・中道・石の各選手です。

関東州代表の南満工業も立命館中学に六対三で敗れています。決勝戦では和歌山中学が八対四で神戸商業を降しています。

さてこの四月に発足したばかりの新制の高等普通学校は朝鮮大会には出場しませんでした。これは開校間もないため野球部がなかったか、準備が整わなかったからでないかと推測されます。

翌大正十二年（一九二三）の全鮮大会には、前年の釜山商業・京城中学・龍山中学・釜山中学・仁川商業・善隣商業に大田（たいでん）中学と徽文（きもん）高等普通学校（私立・アメリカ系）を加え八校で戦われました。新設でしかも選手（生徒も）全員朝鮮人の徽文高普は注目を集めておりました。七月二十四日、前年と同じ訓練院で開会式が行われ、菊池軍司令官が始球式をつとめました。一回戦、徽文高普は仁川商業を六対一で降し、翌日には龍山中学を五対一で降しました。決勝戦では前年優勝校の京城中学と対戦。十対一で完勝し、全国大会出場の栄に輝きました。

学校も野球部も創立間もない朝鮮人だけのチームが日本人の中学のチームを次々と打ち破り、遂には前年度優勝の京城中学を大差で破ったことに、徽文高普の関係者のみならず多くの朝鮮人が熱狂して喜んだことは想像に難くありません。

京城日報の報じるところ次の通りです（抜粋）。

「徽文は選手の体格も技量も実によく揃っており選手の年齢も中等学校の選手の年齢とは思えないほどである」。

「徽文の選手は学校で職業的に雇ってあるのだと世評にある如くその技量に於いては龍中の敵ではない……」。

同紙は日本人による日本人向けの新聞であり、いささか悔しそうに書いてあることが笑いを誘いますが、事実当時の学齢は厳密ではなく、大人が入学していたのではないかと推察されます。晴れの第九回全国大会は八月十六日から五日間、鳴尾で開催され、十九地方の代表が参加しました。この年から関東地区から神奈川静岡地区が独立し（代表は横浜商業）、外地からは台湾も初めて参加、台北一中（現建国高級中学）が出場しました。

徽文は第一回戦なんとお隣の関東州代表の大連商業と対戦、九対四で降しています。しかし二回戦にて強豪立命館中学に七対五で涙を呑みました。ちなみに台北一中も一回戦で立命館に二十三対一で大敗しています。決勝戦は和歌山中学と初出場甲陽中学で戦われ、甲陽が和歌山の三連覇を阻み初優勝しました。

敗れたりとはいえ、徽文の活躍は大評判となったようです。昭和四年（一九二九）編纂の「全国中等学校野球大会史」に次のような一文がありました。

「**悍馬の如き徽文高普**　風変わりなチームは朝鮮を代表して来た徽文高等普通学校であっ

た。ナインの全部が鮮人諸君であることが既に異彩を放っている上に、そのプレーの勇猛果敢なることは、あたら広野に踊る悍馬の如きものがあり、荒削りなどという形容を通り越した元気なチームであった。殊に人々を面食らわせたのはその走塁で一たび塁に出るや盗塁また盗塁、時の委員石川氏であったと思うが『兎に角目の前にボールが見えさえしなければ突っ走るのだから堪らない。』と評していたほどであった。そのため折角の走者が犬死にしてチャンスを台無しにしたことも多かったが、あまり勝手が違っているために相手になった大連商業や立命館はかなり狼狽もさせられていた。個人としては誰かがプロフェッショナルのようだと評した捕手金貞植君の凄い打撃、投手金鐘世君の速球と見事なフィールディング等が記憶に残っている」。

故郷に凱旋したナインの得意や思うべし。ここにその氏名を記して栄誉を称えます。

一番　ショート　鄭鱗奎
二番　キャッチャー　柳再春　金貞植
三番　サード　王命求
四番　ピッチャー　金鐘世
五番　レフト　李鯨九
六番　セカンド　沈雲榮
七番　センター　金廣洙

八番　ファースト　金宗允

九番　ライト　李舜宰

徽文高等普通学校は現在もなお徽文（ウィムン）高等学校として文武両道に輝く名門校として気を吐いています。ベルリン五輪でマラソンで優勝した孫基禎（ソン・キジョン）選手は公式には養正高等普通→明治大学卒とされていますが徽文高普に一時在籍していたといわれています。

（平成十九年四月二十五日）

第四章　そよ風と私

加藤直樹氏への反論

仄聞するに日本共産党の機関紙「前衛」令和二年七月号に私の氏名が載っているという。「前衛」といえば大昔、七〇年安保の頃は少しは聞こえたメジャーな月刊誌である。それに私の名前が？　訝しいが、大枚七百数十円を投じて買ってみた。ノンフィクション作家の加藤直樹氏の書いたもので「朝鮮人犠牲者追悼式典をめぐる『そよ風』の策動と『虐殺否定論』の広がり」（以下「策動と広がり」）と題する一文がそれである。

一読して一驚。まさか共産党の機関紙が「そよ風」や私の活動をこれほど高く評価してくれるとは！　刮目して再読、確かにこれは我々（「そよ風」と私……フレンチポップスのタイトルみたいだが）に対する頌歌（しょうか）であり賛辞であり、表彰状でもある。我々の微細な活動とも呼べぬ蠢き右往左往を、これほど体系立てて説明し、盛り立て飾り付け、世に問うてくれているとは！　感謝の気持ちでいっぱいである。

著者・加藤氏になにかお礼をしたい気持ちになり、御著書『トリック　朝鮮人虐殺をなかったことにしたい人たち』の新刊書をアマゾンに注文した。出版社から氏への年末の支払い調書にわずかながら私の印税も入ることだろう。現在（令和二年七月二十七日正午）の時点では、まだ配達されていないので、この書に触れるのは後日としたい。

さてまず「策謀と広がり」への感想である。実によく遡って詳しく、我々について研究されていることに驚嘆する。暇だなあ、本当に暇なのだ。我々の業界（保守陣営のことを私はこう呼ぶ）の中で、ゴミのように小さな我々に、あの天下の「前衛」が十数ページも割き、聞こえた俊英作家が巨細に亘り高く評価する。我が業界、他にももっともっと大きく、加藤氏等の気に触る団体・運動があるだろうに！　何も好き好んで小物中の小物を取り上げる？　つまり我が業界はまず反省すべきなのである。

加藤氏も暇だから我々に注目した。加藤氏らがもっともっと夢中になって非難攻撃するような運動を、業界は今できていない、やっていないということなのだ。いずれにせよ過褒に預かり恐縮の至りであり、あつくお礼申し上げたい。

どうやら氏は、そよ風のブログを実によく読んでいるようだ、私なぞ年に一、二回しか読まないのに。「顧問」のポストを氏に譲らなくてはならない。少々だが反論もある。まず、「そよ風」を「高齢の女性たちが中心」と決めつけている。しかし、これはおかしい。そよ風を見回しても、どこにも高齢女性はいない。せいぜい熟女といったところである。高齢とは、しんぶん赤旗だの前衛だの週刊金曜日だのを読んでいる団塊の女子の謂いである。氏の女性差別心を垣間見た思いである。反論は取り敢えずこれだけにする。

喜ばしく感謝したいのは、亡き古賀俊昭都議会議員の功績を極めて高く評価していることである。まさにその通りであり、ご指摘は正しい。古賀都議なくして小池知事を動かすことはできなかった。

我々は古賀都議の墓前にこの「策動と広がり」を捧げて、更めて感謝の意と、慰霊碑撤去への活動継続の誓いを新たにしなくてはならない。

この知事の追悼文取りやめに対し、東京都に寄せられた意見は五百十五件あったという。そんなに少なかったのか。やはり、こういった問題は世間の耳目を聳動しないのだ。些かがっかりした。しかし、知事に追悼文送付を求める声は三百八十三件だそうである。そんなに少なかったのか。ということは五百十五―三百八十三＝百三十二件も我々の活動に賛意を示す都民がいたのだ！　二十五％、実に四分の一である。我々はとても勇気づけられた。加藤氏ありがとう。やはり「顧問」に推戴したいものだ。

「元楯の会会員で現在は排外主義の活動家として知られる村田春樹である」おお！「知られる」とは嬉しい。やはりこの「策動と広がり」は大量にコピーして友人知人に配布することにした。

しかし異論もある。わたしは排外主義者ではない。別にそう呼ばれても痛くも痒くもないが、やや違和感があるので一言書いておきたい。確かに私は外国人参政権反対運動をやってきた。というか、その運動の周辺をうろうろしていただけであるが。しかし私は参政権付与に反対であって、在日外国人に出ていけとは言っていない。

不法滞在者は日本の法律を遵守していないから「出ていけ」と言い、参政権は憲法違反・地方自治法違反だから反対している。外国人生活保護も憲法違反だから反対する。朝鮮学校補助金も同じである。朝鮮学校が一条校になれば、補助金に何も言わない。所謂在日に出ていけなどと言わない。ただ、特別永住は一般永住に比べて著しく不公平だから、特別永住者は一般永住権に移行してくれれば良い。

私は好きな音楽はクラッシックからポピュラーまで圧倒的に外国崇拝であり、国内の音楽はまず聴かない。排内主義であり、愛外主義である。食べ物もシナ料理、朝鮮料理が大好きである。特別永住含め在日コリアンの友人は何人もいる。極めて近い親族が在日コリアンと結婚したいというので、もちろん大賛成。二人は爾来ずっと幸せに暮らしている。いったい私のどこが排外主義なのか。「そよ風」の熟女たちも私と同じようなものである。ついでだが桜井誠氏とは以前よく一緒に飲食したが、シナ・朝鮮料理が大好きで、お店の外国人店員には、彼も私も丁寧である。我が業界ほぼ全員同じである。

さて「策動と広がり」を読んでいて楽しく感じるのは、面白い「気づき」があるからでもある。わかった！　我々は排外主義ではない。我々を排外と罵る人たちが、過度に外国人を偏愛している、愛外主義を通り越して阿諛（あゆ）外主義者なのだ。この阿諛外主義という言葉は、私のオリジナルである。「前衛」でも取り上げてくれると嬉しい。流行らせたいのだ。プロローグだけで紙数が尽きたようだ。

誰のための慰霊祭か

繰り返すが、我々は排外主義ではない。「阿諛外主義ではない日本人」なのだ。それだけである。

この前衛の記事「策動と広がり」を読むと、私に関する記述が実に多い。私の名が前後十回も登場するのだ。最後に「村田春樹は決して特異で孤立した活動家ではなく、こうした右翼運動ネットワークの中で活動を展開しているのである」と称揚してくれているが、やはり私が名前も顔も知らない人が、かくも詳しく私の言動を注視していると思うと、なにか不気味なものを感じる。私が女性なら恐怖心を覚えるだろう。

「そよ風」の「高齢」女性らが本名を明かさないのはやむを得ないと思われる。ストーカー行為をされているというのは、こういう感じなのかもしれない。まあ、加藤氏の顔写真を見る限り、暴力的でもなければ同性愛者でもないようなのでさておくが。さらに、まるで私がそよ風の黒幕であるかのように書かれている。しかし、私の少ない可処分時間（可処分所得も少ないが時間はさらに少ない）の中で、そよ風にかかわる時間は、数%程度であろう。

さて、この「策動と広がり」を私は電車の中で読んでいたのだが、しばしば笑ってしまった。マスクをしていて良かった。笑えたのは加藤氏が我々の慰霊祭を「いったい誰を慰霊しているのかがまったく判然としない」「この慰霊祭が少なくとも誰かの慰霊を目的としたものではないことは明らかだろう」と指摘している所だ。加藤氏は我々に対し「死者を露骨に道具として利用」し「犠牲者を冒涜する団体の跳梁」云々と非難している。なるほど、たしかに会ったこともない百年前の犠牲者が如何に気の毒でも、落涙涕泣(ていきゅう)することはできない。これが正直な人間の感覚であろう。

しかし加藤氏は、ご自分が支持する追悼碑前での「朝鮮人犠牲者追悼式典」に参加したことがあるのだろうか。私は何年か前に参加して唖然としたものである。一体どこに慰霊の気持ちを持った主催者・参加者がいたというのだ。慰霊の気持ちなどどこかにすっとばして、ひたすら日本人に贖罪意識を植え付けることと、安倍内閣への非難罵倒に終始していたではないか。完全に慰霊に名を藉りた政治集会である。政治的目的のため政党の党員や議員が政治集会を開いて気勢をあげ、政治パンフレットや書籍を販売しているに過ぎない。

我々が都庁を通じて指摘しはじめた二年ほど前から、慌てて体裁を取り繕ってはいるが、今さら遅い。加藤氏の指摘通り、我々は政治集会を彼らをそっくり真似をして同じ様にやっているに過ぎない。「鏡の国のアリス」である。我々が正義の味方で人道的で、彼らが悪辣なのではない。その逆でもない。要は、同じ穴の貉(むじな)なんですよ。

では、我々と彼らの相違点は何なのか。我々は震災百周年を控えてこの事件の真実を識(し)りたいのだ。彼らは「人数は問題ではない、虐殺されたことそのものが問題なのだ」と言うだろう。しかしそれは、加害者被害者双方に対し極めて不誠実なのではないか。

真実を知ることそのことが、不幸な歴史をくりかえさず、両国間の民族差別をなくし、互いの祖先の人権を尊重し、真の善隣友好と東亜永遠の平和の大道を拓く礎となるのではないだろうか。

その真実を識る第一歩として、あの碑文「あやまった策動と流言飛語のため六千余名にのぼる朝鮮人が尊い生命を奪われました」の「六千余名」が正しいのか否かを識りたいのだ。そしてその「六千余名」が間違っていれば、この碑文の訂正、それができなければ碑そのものの撤去を要求していきたいと思っているのである。

風に吹かれて

「そよ風と私」はフレンチポップスの曲名だ、と前回に書いたが訂正する。「そよ風と私」はエルネスト・レクオーネの筆になるラテンポップスの古典的名曲だった。フレンチポップスはマージョリー・ノエルが昭和四十年頃に大ヒットさせた「そよ風にのって」だった。お詫びして訂正する。

さて今回も引き続き加藤直樹氏への感謝を捧げたい。氏は「前衛」の「策動と広がり」で私を村田春樹と呼び捨てにしているが、加藤氏のような知的で紳士的な方を、私は呼び捨てにはできない。「策動と広がり」を読むと、氏は私を称揚してくれているが、よくまあ詳しく知っているものだと感心する。

しかし一か所「日本青年協議会の主催する集会で椛島有三氏と共に登壇した」とあるが、一向に記憶にない。ま、これもどうでもいいことだが。さて、私は氏が大好きになり、そよ風ブログに載っている氏のご講演の動画を拝見してみた。このご講演は、要するに氏の著書『虐殺否定というトリック』の要約なのだが、実に面白い。そよ風と私のほんのちょっとの動きが彼らの業界にどれだけ大きな波風を立てたのかを詳細に語り、賞讃してくれているのだ。例の都庁の「誓約書」撤回の署名活動には、なんと百二十七人の文化人が賛同したそうだ。その中には私の尊敬してやまない高橋哲哉教授もいらっしゃるではないか。私は喜びと興奮を抑えるために何回も深呼吸したものだ。

そして弁護士会も声明を出し、あの大朝日新聞の社説にまでとりあげられた由。そして署名は無慮三万筆だそうだ。いやはや。「泰山鳴動して鼠一匹」という古諺がある。今回のケースはその逆。ネズミ、しかも高齢のミニーマウスが数匹ちょろちょろしただけで、なんと泰山が鳴動どころか噴火してしまったのだ。我々からみると泰山どころかヒマラヤに見える反日左翼の峩々たる山容も、実はハリボテなのかもしれない。自信と喜びが胸中に湧いてきた。しかも加藤氏は著書まで上梓し、あちこちで講演し、宣伝して回っていただいているのである。ご苦労様、心からねぎらいたい。講演をみると、その中でそよ風の活動は「粘着質のある行動力」とか「各地の負の歴史の展示石碑への反対活動に地道に取り組み云々」とある。

ありがとう加藤直樹氏。

氏は講演の中で頻りに、「死者への冒瀆」を口にしている。ほう、仮に二百人虐殺があったら、その犯人は数百人であろう。六千人であればその下手人は数千人いや一万人かもしれない。一万人と数百人の差、つまりそのほとんどが、もしも仮に冤罪だとしたら、その人たち（当時は生存者だが今は死者）に対する冒瀆にならないのだろうか。読者はご存じの通り、私は二百人と断定しているわけではない。六千人と同じく科学的根拠はない。わかりやすくするためにここでは二百人と言っている。

かつて「百人斬り裁判」というものがあり、私もずいぶんと傍聴に行った。シナ事変で敵兵を競争して斬ったとされる日本軍将校が処刑され、その子孫が親の名誉回復を訴えたものである。まさに死者への冒瀆が争点であった。

「死者への冒瀆」、これこそが戦後レジームそのものであり、その死者へ僅かだが光を当てたいと念ずるのがそよ風と私の活動である。

さて、六千人の数字の問題に入る前に、加藤氏がそよ風の成功例として賞賛してくれた「群馬の森」の追悼碑について述べたい。

平成十六年に群馬県の県有地に建てられた「群馬県内朝鮮人強制連行追悼碑」に、そよ風と私は着目し、県議会等に働きかけ、県知事は碑の土地貸与延長を不許可とした（万歳）。それに対して「追悼碑を建てる会」が県知事を提訴、現在、東京高裁で係争中である。

この追悼碑を建てるにあたって第一の功績があった猪上氏（故人）の書いた「『消し去られ歴史』をたどる」という冊子がある。

私はこれを丹念に読んでみて驚いた。

なんと犠牲者のお名前が一人も書いていないのである。お名前がないどころではない。いつ、どこで、何人が亡くなったという事実が一切書いていない。だからこの追悼碑には名前が一人も彫ってないのだ。不思議ではないか。亡くなった人の名前を記して悼むのが正当である。九州の炭鉱にもいくつも慰霊碑があるが、みな亡くなった方のお名前を記してある。それはそうだ、当時法治国家の日本で、一応朝鮮人も帝国臣民である。徴用され事故死したら葬儀がある、会社から弔慰金が出る。遺骨は丁重に故郷に送られる、だからお名前が残っている。

私の手元に「資料集 朝鮮人犠牲者追悼碑 歴史の真実を深く記憶に」（朝鮮人強制連行真相調査団、資料集「朝鮮人犠牲者追悼碑」政策委員会）という大判の写真集がある。日本全国百数十の慰霊碑の写真と解説である。ほとんどがその碑に眠る方々の人数が明記してあり、おそらく碑の裏面にはお名前が記してあるだろう。

しかし、繰り返すが群馬の森の追悼碑にはお名前が一切ない。人数が多すぎて碑が小さくて書き込むスペースがなかったのではない。仮にそうであったら、猪上氏の書いた冊子にその人数、氏名が記されてもいいようなものだが。猪上氏はこの碑を建てるにあたって、数年間群馬県内をくまなく調査している。その労苦を想像するに頭が下がるのみである。しかし、ただの一人も犠牲者を見出すことができなかったのだ。もし泉下の猪上氏に「犠牲者はいったい何人だったのですか」と問うたら「人数は問題ではない、虐殺があったことが問題なのだ」と言うかもしれない。しかし、この冊子には虐殺など一切書いてはいない。

そう！　一人も死んでいなかったのだ。猪上氏は数年間、足を棒にして県内くまなく、いったい何人の犠牲者がいたのかと問いかけながら歩いたことだろう。私の好きなボブ・ディランの代表曲「風に吹かれて」に「いったいどれだけの道を歩めば……」という歌詞がある。猪上氏も「いったいどれだけの道を歩めば犠牲者の情報に巡り合えるのか」と絶望的になったに違いない。しかし彼は「友よ、答えは風に吹かれている」とは言わなかった。犠牲者がいなくても慰霊碑を建ててしまったのだ。いったいどうして。氏の心境を忖度すると暗然とする。「犠牲者がいなくても慰霊碑を建ててしまえ」。

日本人は、群馬県民は、未来永劫虐殺の下手人の子孫として反省し続けろ！

（慰霊碑ではなく慰労碑にすれば、こんなことは言われなかったのに）

そよ風と私は、この群馬の森に関しては、一体誰への冒瀆をしているのだろうか。

死者はいないのだから、それ以外の誰への冒瀆なのだろうか。

加藤氏よ教えてください。

「こたえは風に吹かれているの」だろうか。

六千人の根拠は？

九月一日が迫ってきた。そよ風の幹部には大手メディアからの取材申し出が殺到しているそうだ。熟年女性らは若い男性記者の申し出だと、受けたくなるそうだ。その気持ちはわかる。特にK新聞のI記者などには、その清潔感あふれるスカッとした身だしなみや、育ちの良い湘南ボーイを思わせるルックスに惹かれ、ついつい取材に応じたくなるそうだ。I記者は、そよ風のみならず業界の女性の憧れの的である。しかし、「待て待て、ハニトラに引っかかってはまずいぞ、ネズミを捕まえる罠だ」と断乎応じないそうだ。偉いと思う。私に若い女性記者が取材を申し込んできたら、二つ返事で受けてしまうのに。ま、私には男女問わず取材申し込みは一切ないが。

さて「そよ風と私」が乱入（？）する前の横網町公園は平和そのものだった。毎年お決まりの反安倍決起大会が粛々と続いていたのに、今は機動隊が出動する騒ぎになってしまった。大したことをやっていないのにも関わらず、加藤直樹氏の業界は、上を下への大騒ぎのようだ。そこで一首。

「反日の眠りを覚ますミニーマウスたった四ひきで夜も寝られず」

そよ風は四ひきではありません、念のため。

かつて平和そのものだった横網町反安倍決起集会を見ていて、広島長崎沖縄の慰霊祭を想起したものだ。これらの慰霊祭では本物の被爆者や遺族は極めて少数で、活動家プロ市民が黙禱もそこそこに安倍首相に野次を飛ばそうと手ぐすねひいているそうだ。

横網町反安倍集会兼朝鮮人慰霊祭は、そよ風の乱入で少し変わってきた。今さら遅いが慰霊追悼を前面に押し出してきた。政治集会であることは変わらないが。

この集会の変化を見ていて、私はベンジャミン・デズレーリの「組織された偽善」という言葉を思い出した。集まった大勢の偽善者たちが、涙を流すふりをして、しっかり自らの政治的発言はして帰る。自らの歴史認識はしっかり披歴して「日本軍ガアー、安倍ガアー」と攻撃して溜飲を下げて帰る。

慰霊追悼は偽善である。

私事にわたるが、平成七年一月十七日阪神大震災の時、私は家族で灘区に住んでいて被災した。部下を二人喪った。うち一人は一家全滅だった。その遺体を夕方暗くなったころ、私はやっと灘高校の体育館の臨時遺体置き場で見つけた。その遺体に対面した時、隣では母親が毛布にくるまれた小さな遺体を抱きしめていた。

一年後に秋篠宮同妃両殿下を招いて追悼集会があり、私も参列した。子供を喪った母親の挨拶を聞いて恥ずかしながら涕泣してしまった。

あれから二十五年、今は涙も出ない。私が酷薄なのではない、これが歳月というものだ。百年前の見ず知らずの人の怏死に涙するふりはいい加減にしてくれと言いたい。

ついでだが、八十年も前の朝鮮で売春せざるを得なかった少女に同情する振りもいい加減にしてくれ。挺対協（正義連？）の尹美香が、「慰安婦」の金をほとんど横領していたそうだ。そう！　それが人間だ。彼女は自分の欲望に正直であり、私にとっては偽善者よりは好ましい。

フリードリヒ・ニーチェ曰く「自らの目の前の惨憺たる国民を愛するのが嫌で、遥か彼方のアジアアフリカの貧民に同情する偽善者たち」。今の日本の偽善者は、目の前の鶯谷や新大久保で泣く泣く春をひさぐ韓国人女性には目もくれず、大昔の「悲劇」に同情（するふり）している。

かつて高田馬場のＷＡＭの本部の中で、私は東京造形大学の前田朗教授に言ったことがある。「今現在売春を余儀なくされている、日本や韓国の少女たちのために立ちあがってください。今は亡き日本軍や帝国政府や総督府を攻撃している暇があるなら、今現在彼女たちの背後に蠢く日韓の暴力団を糾弾してください」。まだ教授の頭髪はしっかり存在していたから十数年前だったと思う。その時教授は言い放った。「それはあなたがやってください」。唖然とした私が未熟だったのだが。

さて、前置きが長くなったがいよいよ加藤直樹氏著作『虐殺否定というトリック』に入ろう。本題とは関係ないが、赤字赤線を多用し、やたらに字体を変えて、あの手この手で強調しようとしている。かえって読みづらい。私が現役のビジネスマン時代、部下には「表現力に自信がない奴ほど、文書を多色にしたり字の大きさを変えたりする」と厳しく戒めたものだ。どうでもいいことだが。

加藤氏の知的な容貌から、さぞかし緻密な論理の展開がされると期待したが、いきなり唖然。氏は「虐殺はなかった説は、歴史学の世界ではまったく学説として認められていない」と繰り返す。それがどうした。そりゃそうでしょ、歴史学の世界は戦後レジームの氷が最もぶ厚いところ。そんなことはわかっている。勝者が歴史を書き、敗者が文学を書く、といわれるが、戦勝国が書いた歴史学が今の日本を支配している。

そよ風も私も、この氷をすこしでも溶かしたいと思っている。

ガリレオの地動説を裁く法廷で、バチカンの検事が「地球が動くなんて説は聖書に書いていない」と何回繰り返しても、ガリレオは納得しないだろう。それと同じことを加藤氏はしているのだ。いきなりがっかりした。内容は読んでいてほとんど知っていることばかりで新味なし。私の興味は加藤氏が六千人をどうやって科学的に正当化するのかの一点だった。全部で百七十ページのうち七十四ページにいよいよ「約六千人をめぐって」という章に入った。私の心は期待半分と不安半分だった。完全に科学的に六千人を証明し、我々を完膚なきまでに叩きのめし、我々は「申し訳ない〜六千人で正しうございます〜」と言わされるのではないかという不安である。

以下「　」は「トリック」から引用。（　）は村田のつぶやきである。

「彼ら（村田ら）が騒ぐはるか前から虐殺数については六千人という数が正確とは言えないことは指摘されている」

（ほう、我々の言う通りじゃない！　明日の集会で参加者皆の前でそう言いなさい）

「震災のとき虐殺された朝鮮人の数を正確に特定するのは不可能である」

（ほう！　これも言いなさい、六千人と彫ってある碑文を指しながら）

「司法省報告では233人云々」

（これも参加者の前で言いなさい）

「戒厳司令部の報告では朝鮮人日本人中国人合わせて266人云々」

（ほう！　これも言えば）

「実際はそれよりはるかに多いはずである」

（おお！　新証拠が発見されたのか！　すごいなあ。わくわく）

「そもそも治安当局が把握していない殺傷行為が膨大にあったと推測されるからである」

（はあ？　なんだ推測か、がっかり。推測の根拠は？）

「朝鮮総督府が内部文書で被殺者の見込み数として掲げた八三三人がある。しかしその根拠は不明である」

（ほう、して不明であるとする根拠は？要はわからないのでしょ。多いかもしれないし、少ないかもしれない。根拠が不明なのではない、事実が不明なんですよ）

「これに対して冒頭に掲げた6000人という数は震災の翌月翌々月朝鮮人留学生らが警察の妨害をかいくぐって関東全域を踏破し調査した結果を（苦しいなあ）基に上海に本拠を置く独立運動機関紙「独立新聞」がその年12月に発表したものだ」

（なーんだ。知ってますよ、そんなこと。大韓民国臨時政府でしょ。その工作員が朝鮮人留学生と一緒に踏破して調査したのだそうだが。まず踏破と言って賞賛しているのが嗤える。どうやって科学的に調査したのだろうか。名簿もない、遺骨もない、流言蜚語にも惑わされず。六千六百六十一人と正確な数字の調査方法が知りたい。どんな調査でもその手法がわからず結果だけ信ずる莫迦はいない。調査員は何人の遺族や目撃者にいつどこで聴取したのだろうか）

「この数字は虐殺に関しての歴史学的研究が始まった一九五〇年代末以降最も有力な調査研結果と考えられてきた」

（誰に？　そちらの業界人だけでしょ。そもそも独立運動家が調べた（？）数字ほど信用信頼できないものはありませんよ。加藤氏は自分で言いながら非科学的だとわかっているはず）

「同胞の死の真相を明らかにしようと熱意を持って行われ朝鮮人留学生の調査であるから一定の説得力を持つようになるのは当然だった」

（わっはっは、おやさしいのね。熱意と正確さはなんの関係もない。熱意があればあるほど、数字は膨大になり過大な結果になるに決まっているじゃないですか）

加藤氏は書きながらわかっていて、さぞかし苦しいだろう。嗤（あざわら）ってはいけないか。さす

が良心が許されないのか、後段
「今でも『六千人が殺された』と書いている本が少なくない」

（ならば二百三十三人と書いてある本が多くなったらどうするのですか。）

「六千人を一つの推測として例示すること自体が明確な誤りだとまでは言えないだろう」

（えらく謙虚になりましたね。苦しいなあ。なんとしても六千人にしておかないとあの追悼碑の存在意義がなくなっちゃうからね）

お仲間には弁護士会の会長副会長がいるでしょうから、訊いてみてください。この二ページだけで六千人の下手人を有罪にできるでしょうか、有罪どころか逮捕も起訴もできやしない。氏のこの著書『トリック』は「……だろう」とか「推測される」という曖昧な表現が多い。ま、随筆だから完璧を求めるのは無理だろう。加藤氏には「九月 東京の路上で」というエッセイもあるそうだ。きっと想像力が豊かなのだろう。

震災犠牲者の日本人への弔慰金十六円、朝鮮人には二百円だったそうである。

この大金に六千人の関係者が群がらなかったのは一体なぜなのだろうか。

加藤氏の想像力で解明していただきたいものだ。

それにしても六千人の根拠は独立新聞だけ？　たったこれだけ？　買って損したあ。

「熱意ある百年前の留学生」にこれほど感情移入できるのは素晴らしいが、感情移入しても真実から遠ざかるばかりですよ。やはり阿諛外主義なんですね、私は愛外主義だが、阿諛まではいかない。源義経が好きで好きで感情移入しすぎて、なんとジンギスカンにしてしまった人もいる。外国人特にコリアンが好きで好きで感情移入しすぎて、二百三十三人が津軽海峡を渡って三百人になり宗谷海峡を渡って五百人。ついに間宮海峡を渡って六千人！　加藤氏は判官びいきならぬ、コリアンびいきなのですね。

長くなった。私は日本帝国による犠牲者の数を、なにがなんでも多くしたい加藤氏らの情熱をみていてもの悲しくなってくる。日本国を日本人を先祖を徹底的におとしめて、国連等を通じてして「日本人はこれだけ悪かったんだぞー！」と叫んで喜ぶ日本人を、外国人はどう見ているのだろうか。唆す外国人は多いだろう。しかし外国人は内心は、自らの祖国民族を蔑む日本人を莫迦にしている。加藤氏らは自分だけは、人間という汚濁に塗れた存在を超越して、自らを天使のような人間だと高みにおき、我々を見下して満足を得る。

こういうのを心理学ではマウントというそうだ。加藤氏は明日九月一日はマウントしまくってさぞかし気分がいいだろう。我々はマウントされ、最悪の気分になる。

そよ風の追悼集会の費用はすべて幹部の自腹と周囲の有志の寄付である。結構な出費である。高齢女性である彼女たちには講演料も本の印税もない。財布から出る一方である。でも、死者の名誉のため、明日は早朝から汗だくだろう。これを「けなげ」というのですよ、加藤さん。

（令和二年八月・九月「そよ風」ブログへの投稿）

第五章 内閣総理大臣安倍晋三

安倍晋三首相が暗殺された。事件の四日後に現場に行ってきた、そのときのＦＢ（フェイスブック）への投稿である。

わからないことに耐えよ

西大寺駅前の殉難現場に行き、献花黙禱してきた。平日の昼間なのに数十人が行列していた。ここが故人が見た最後の眺めかと思うと悲しみが募る。今、犯人や背後関係をめぐり百花斉放、百家争鳴である。曰く背後にＤＳ（ディープステイト）がいる、国際ユダヤ金融だ、チャイナだのかまびすしい。今回の事件で最も傷ついているのはご遺族就中未亡人昭恵さんである。ＤＳの好きな陰謀論者はじめ朝鮮人認定まで、皆さん日頃の嗜好に安倍さんの非業の死を利用して喋々喃々しているが、未亡人は不愉快ではないだろうか。娘の結婚相手を「穢らわしい」だの「莫迦娘と詐欺師」だの弄（もてあそ）ばれて、秋篠宮殿下はさぞ不愉快だっただろう。未亡人のためにも死を玩具にしてはならない。

尊敬する三浦小太郎氏が「わからない、といふことに耐えるべき」とおっしゃっていたがまさに至言である。「わからない」といふことに耐えられず、「○○の陰謀だ、○○が背後にいる」、と言っている。

誰よりも真相を知りたいのは未亡人である。これから長い長い裁判があり、厖大な判決文を未亡人が読んで納得するか否か。今回はオズワルドは生きている。警察の威信をかけた捜査、司法が英知を集め世界中が注目する裁判、その判決文をまず見てから、陰謀だの背後だの、〇〇としか思えない、と語ってください。

それまではただ、遺族と共に御霊安かれと祈るべきではないだろうか。

蛇足だが、警察は犯人が自殺してダラスの悲劇のように後世に「謎」を残さないように二十四時間監視していただきたい。さらに蛇足だが現場を見回して、ビルの上から「狙撃」なんてまったく不可能である。合掌。

英霊に「敬意と感謝」

安倍首相を断固支持する。次も安倍、次の次も安倍だ！

今回の武漢ウィルス騒動で、いわゆる保守業界内でも、安倍首相の対応が悪い遅いと喧しい。しかし私は安倍首相に終身日本国総理大臣でいてほしいと思う。

私が安倍首相に終身総理大臣でいてほしい理由。

その一。

毎年八月十五日武道館に於いて全国戦没者追悼式が行われる。

天皇陛下の「おことば」に続いて首相が式辞を述べる。

平成五年の細川内閣、翌年の村山内閣から首相は「反省」することになり、以後実に平成二十四年まで歴代内閣は式辞で「反省」してきた。むろん朝日新聞は大喜びで中韓を使嗾し、中韓もこの「反省」を歓迎している。

日本国が「反省」するということは、「全力ヲ奮テ交戦ニ従事シタ朕ガ将兵」（開戦の詔書）が悪いことをしたことになる。侵略戦争の加害者になってしまったのである。そもそも反省すべきは日本ではないのではないか。

ところが平成二十五年の追悼式で安倍首相（第二次）は、式辞で「反省」ではなく「感謝」の誠を捧げたのである。「反省」と「感謝」は百八十度違う。勇敢なる陸海将兵は侵略戦争の加害者から、英霊英雄に戻ることができた。朝日新聞はじめ左翼の怒ること！　中韓も一緒になって大騒ぎだった。しかし安倍首相は意に介さず、翌二十六年も続けて「感謝」の誠を捧げたのである。ありがたい、立派である。岸田文雄に、石原伸晃にこのような気持ちがあるのか。

しかしその翌二十七年、今度は天皇陛下が「おことば」ではじめて「深い反省」をされたのだ。英霊にとっては首相の式辞より陛下の「おことば」の方が遥かに重い。天翔ける英霊は再び加害者になってしまったのである。

ところが、安倍首相はその翌二十八年、「感謝」に「敬意」をプラスして「敬意と感謝」を捧げたのである。

爾後二十九年三十年、令和元年と、天皇陛下の「おことば」は「深い反省」、首相の「式辞」は「敬意と感謝」のねじれ現象になってしまっている。いったい英霊は、ご遺族はどうしたらよいのか。

ところで、戦後レジームという分厚い氷が列島を覆っているが、その氷は年年歳歳分厚くなっていることに、わが業界人は気が付かないのか。奴ら（連合国とその手先、敗戦利得者）は「戦後レジームという氷はまだまだ薄い、東京裁判はもの足りない。ハンディキャップ国家化をさらに徹底しよう」と、攻撃して着々と実績を挙げている。東京裁判は続いているのだ。

まして、この八月十五日の戦没者追悼式では、奴らはまさに正真正銘の「錦の御旗」を手にしている。攻勢をかけてきているのだ。安倍首相がかろうじて土俵際で踏みとどまってくれているのだ。頑張れ安倍首相。

このような勇気ある行動が、岸田文雄にできるか！　石原伸晃にできるか！　河野太郎にできるか！　安倍首相は来年も再来年も八月十五日に「敬意と感謝」を捧げ、いつの日にか「おことば」から「深い反省」を削除して、錦の御旗を取り戻していただきものである。武漢ウィルスへの対応だの、そんなことどうだっていいことである。

俵一つで踏ん張る安倍首相を、後方の安全な塹壕から撃つのはやめてくれ！

理由その二。

平成二十八年十二月、安倍首相は真珠湾でオバマ大統領はじめ米政府軍高官や、真珠湾生き残りの老水兵らの前でスピーチをした。この件については次ページを参照されたい。

理由その三。

以下は平成二十九年正月の安倍首相の年頭所感の冒頭である。

「わが国の　たちなほり来し　年々に　あけぼのすぎの　木はのびにけり

三十年前の新春、昭和六十二年の歌会始における昭和天皇の御製です。戦後、見渡す限りの焼け野原の中から、我が国は見事に復興を遂げました。昭和天皇がその歩みに思いを馳せたこの年、日本は、そして世界は、既に大きな転換期に差し掛かっていました」。

昭和天皇はあけぼの杉を、とても好まれ大事にされてこられた。

陛下はあけぼの杉の成長に、我が国の復興を見ておられたのである。

今、武蔵御陵の前には巨大なあけぼの杉が、御陵をお守りするように大空に伸びている。私は参拝するたびに、いつもこの御製を詠み、お気持ちを偲び落涙してしまう。年頭所感に昭和天皇の御製を引用してくれる首相が、今後現れるだろうか？　岸田文雄か？　小泉進次郎など「御製」という言葉も知らないだろう。

他にも理由はあるが、紙数が尽きた。私が安倍首相に終身やってほしい気持ちをおわかりいただけたと思う。「いや、安倍でなくても西村眞悟ならやってくれる」「中川昭一ならやってくれる」と言う方もいるだろう。まさにその通り。

しかし、ご批判ご叱責いただくならば、現実的にお願いしたい。さらに「安倍は靖国神社に参拝しない」「拉致は少しも解決していない」「尖閣竹島はどうした」と批判してくる方がいるだろう。

しかしこれらの問題はいずれも外交問題になっている。日本はハンディキャップ国家であり、外交と防衛を他国に委ねている保護国、だからこれらは安倍首相のみならず、誰が首相をやってもできないのである。私は本稿では安部首相でしかできないことを記した。読者諸賢のご理解を望む。

（ＦＢへの投稿）

心を打つ演説

真珠湾での安倍首相とオバマ大統領の演説を読んで落涙した。

昭和六十一年十二月七日、四十五年目のあの日、三十五歳の私は、一人で真珠湾を訪れ式典に参列した。そのとき流した涙と同じ涙を今日も流した。

生命を祖国家族のために捧げた勇敢なる将兵への感謝と畏敬の涙である。以下演説の感想を述べる。長いが御一読いただきたい。まず安倍首相の演説である。

前半はまさに叙事詩である。まさに一篇の詩であり崇高な死者への祈りである。

「耳を澄ますと、寄せては返す、波の音が聞こえてきます。降り注ぐ陽の、やわらかな光に照らされた、青い、静かな入り江。私の後ろ、海の上の、白い、アリゾナ・メモリアル。そこは、私に、沈黙をうながす場所でした。亡くなった、軍人たちの名が、記されています。祖国を守る崇高な任務のため、カリフォルニア、ミシガン、ニューヨーク、テキサス、様々な地から来て、乗り組んでいた兵士たちが、あの日、爆撃が戦艦アリゾナを二つに切り裂いたとき、紅蓮の炎の中で、死んでいった」。

「最後の瞬間、愛する人の名を叫ぶ声。生まれてくる子の、幸せを祈る声。一人ひとりの兵士に、その身を案じる母がいて、父がいた。愛する妻や、恋人がいた。成長を楽しみにしている、子供たちがいたでしょう。それら、全ての思いが断たれてしまった。その厳粛な事実を思うとき、かみしめるとき、私は、言葉を失います。その御霊よ、安らかなれ――。思いを込め、私は日本国民を代表して、兵士たちが眠る海に、花を投じました」。

この前半導入部を書いたのは誰だろうか（注：谷口智彦内閣官房参与だと言われている）。素晴らしい詩人である。涙を禁じ得ない。感動しない人がいるだろうか。

飯田房太海軍大尉の碑について私は迂闊にも知らなかった。

安倍首相ははっきりと帝国海軍大尉と二回にわたって発言し、英訳にも「Imperial Japanese Navy Officer」となっている　旧軍ではない、正しく帝国海軍である。大尉は陸軍では「たいい」、海軍では「だいい」と濁った。ちゃんとそれを踏襲している。

「私は日本国総理大臣として、この地で命を落とした人々の御霊に、ここから始まった戦いが奪った、全ての勇者たちの命に、戦争の犠牲となった、数知れぬ、無辜（むこ）の民の魂に、永劫の、哀悼の誠を捧げます」。

私は嬉しい。戦歿将兵を「勇者」と呼びかけていただいた。戦歿将兵は不幸な犠牲者ではない、英霊はまずもって勇者なのである。

「The brave respect the brave. 勇者は、勇者を敬う」。

安倍首相はここでも我が英霊を「The brave」、勇者と呼んでくれた。そして米兵もまた勇者だったのである。

安倍首相はこう締めくくった。

「私たちを見守ってくれている入り江は、どこまでも静かです。

パールハーバー。

真珠の輝きに満ちた、この美しい入り江こそ、寛容と、そして和解の象徴である。

私たち日本人の子供たち、そしてオバマ大統領、皆さんアメリカ人の子供たちが、またその子供たち、孫たちが、そして世界中の人々が、パールハーバーを和解の象徴として記憶し続けてくれることを私は願います。そのための努力を、私たちはこれからも、惜しみなく続けていく。オバマ大統領とともに、ここに、固く、誓います。

ありがとうございました」。

平凡な表現だが歴史に残る名演説だと思う。

ここ真珠湾で日本とアメリカの将兵が、私たちに遺してくれたのは、生命以上の価値の存在である。生命尊重以上の価値、それは日本であり祖国である。

真珠湾から二十九年後、市ヶ谷台で三島由紀夫先生と森田必勝さんは「生命以上の価値、それは日本だ！」と絶叫して自決、それを体現して見せてくれた。太平洋の死闘はまさに日米両国の生命以上の価値の激突でした。そして今本当に平和（パシフィック）な海になったのだ。

オバマ大統領の演説もまた心を打つものであった。

「我々は毎年十二月七日、七十五年前にこの地で示された英雄的行為に思いを馳せるのです。あの朝兵士達はそれぞれの階級章を超える勇気を見せました」。

我が国でも国家元首が歴史上最高の英雄的行為に充ち満ちた我が英霊に思いを馳せて戴きたい。

大統領は続いてアフリカ系アメリカ人の清掃夫、戦艦ウエストバージニア号の一級砲手だったジム・ダウニング、消防士ハリー・パン、海軍下士官ジョン・フィン等々の英雄的戦いを称賛し、さらにこう続けた。

「私の祖父母を含むこの世代は最も偉大な世代です。彼等は戦争を求めたわけではありませんが、戦争にひるむことは拒み全員が前線や工場で自分がなすべきことをしたのです」。

非戦反戦平和主義九条護れと泣き叫ぶ愚民たちに、この言葉を聞かせたい。

「真珠湾や第二次世界大戦の退役軍人の皆さん。可能な方は起立されるか、挙手をしてください。国はあなた方に感謝しています」。

私は心から羨む。我が国家元首にも同じように、挙手を求め、感謝の意を表明していただきたい。ペリリューやサイパンでなさったように、靖国神社の社頭で居並ぶ元軍人や遺族に「国はあなたがたに感謝しています」と語りかけて戴きたいものである。

「この地に捧げられた犠牲と戦争の悲しみは全人類共通の神聖な輝きを我々に追求するように告げています。それはつまり、日本の友人が言う言葉『オタガイノタメニ』を尽くすことです」。

身を滅して公に捧げること、これが全人類共通の神聖な輝きなのだ。

そして大統領はこう締めくくった。

「この静かな港で、我々は亡くなった人々に敬意を表し、両国家が友人として共に勝ち得たすべてに感謝します。神が永遠なる腕に戦没者を抱き、退役軍人と我々のために守りに就くすべての人々を見守ってくれますように。我々すべてに神のご加護がありますように」。

「我々のために守りに就くすべての人々」とは言うまでもなく現役の軍人のことである。

史上最もリベラルと言われるオバマにしてこの言葉です。平和ぼけの日本人よ、この言葉を真摯に聴くべし。

繰り替えすが、両者の演説に通底するのは生命を祖国に捧げた人たちへの畏敬と感謝の念である。この崇高な演説の前に河野洋平だのテレビコメンテーターの言葉は薄汚く、軽く、

（初出「八紘一宇」）

まさにごみのようである。

テレビ局のインタビュー

令和五年七月八日午前十一時三十一分に西大寺駅前で献花・黙禱し、東京での追悼集会に向かう新幹線車内でこれを書いている。今朝、奈良市三笠霊園内の慰霊碑（留魂碑）に献花してきた。報道陣に囲まれ、質問に応えて概ね以下の通り発言した。

（どこから来た？）埼玉県から来た。

（なぜ遠くから？）戦後最大最高に偉大な政治家の死を心から悼み哀悼の誠を捧げに来た。

（碑の前で何を思ったか？）安倍晋三首相を喪いその後政治状況は悪化の一途、霊前に額づき慚愧に堪えない。保守政治家はどの面下げて参拝するのか。

（この碑は現場から遠いが？）地元自治体の気持ちもわからないではないが、現場に建立できなかったのは残念だ。東京駅には暗殺された浜口雄幸、原敬のプレートがある、晋三首相の慰霊碑が現場にも建立できなかったのは遺憾の極み。リンカーンには記念堂あり、ＪＦＫはＮＹの空港名に遺る。同じくらい偉大な安倍首相の名も空港に冠すべきである。成田空港を安倍空港に変えるべき。

私はテレビ局のインタビューには何回も応えているが、まず放映されたことはない。そりゃわかる。メディアの意に沿わない発言ばかりしているから。今回も「没」に決まっているのでここに記しておく（実際は最初の二問だけ放映された）。

その後、西大寺駅前へ。献花の大行列に並び、かろうじて十一時三十一分に間に合い黙禱。行列に九十歳は越えている老夫婦がいたわり合い、やっとやっと歩いて献花していた。この老夫婦、安倍晋三首相の著書も講演も知らないだろう、しかし、安倍晋三首相が我が国を救おうとしていたことを、この老夫婦は本能的にわかっていたのではないか。などと勝手に思いつつ、喧騒の西大寺駅前をあとにした。合掌。

（ＦＢへの投稿）

第六章　皇室

それぞれの皇室観

私が活動を開始した平成十六年（二〇〇四）頃は外国人参政権、移民、自治基本条例、住民投票条例、台湾、朝鮮、樺太等北方領土、竹島尖閣問題等々何でも来いと引き受けてきた。しかし寄る年波に勝てず、現在は講演も原稿も「皇室」と「三島先生、森田さん」の二つに絞って引き受けている。本章では姫宮様方の御結婚問題等を中心に皇室問題を論じたものを掲載する。

ただし、冒頭にお断りしておく。これら拙文は皇室に関して私の考えを述べたものであり、読者の皇室論、皇室観を正そうなどと思って述べるものではない。私はここ数年、あちこちで皇室に関しての愚見を講演させていただき、また業界内のメディアに載せていただいてきた。また、少なからず業界の諸先輩と議論してきた。しかし、私などの言うことに誰一人一切耳を傾けていただけなかった。一顧だにされなかったのだ。しかたがない、知識も説得力もない私の愚見など無視されるのは当然である。しかし、理由はそれだけであろうか。この業界のいわゆる尊皇家といわれる人たちは、「かくあるべし」とご自分の皇室観を一切改めようとはしない。なぜだろうか。考えて見た結論はこうだ。

戦前は国家の作った歴史観、皇室像というものがあった。大日本帝国憲法、皇室典範があり、議会があり、そして東京帝国大学の国史では皇国史観が講ぜられていた。いわば国定の尊皇思想、国体観念があったのだ。庶民は学校や軍隊を通じ、また周囲の大人たちの会話やメディアを通じて、皇室のなんたるかを知り、それに従ってきた。つまり、日本には皇室観が一つしかなかったのである。もちろん、国体明徴運動や機関説論争はあったが、微差、誤差の範囲である。しかるに今は、公の皇室観なるものは存在しない。大日本帝国の国体も皇国史観も消え去ってしまい、残された尊皇家の頭の中に、ご自分の好きな皇室観があるだけだ。その皇室観に従って皆てんでに好きに考えて、居酒屋で論じている。そう、皇室は今や自称他称の尊皇家業界人の愛玩物、嗜好物になってしまっているのである。自分が美味しくてたまらない皇室観を他人に冒されてなるものか。まして、私のごとき浅薄な者の意見などに耳をかそうとしないのである。だからこの拙文も誰一人一顧だにしないのはわかっていて書いている。要は各人の愛玩する皇室像、それが悪意に満ちているか好意に満ちているかは別にして、趣味、嗜好だから一切変えない。私が皇后陛下雅子さまやご実家・小和田家の素晴らしさを巨細に亘り語っても、雅子さま嫌いの人は、何一つ変えようとはしない。それはそれでしかたがないのだ。

さて本文に入る。

文藝評論家の小川榮太郎氏が【最近感銘を受けた一文】として拙文を評価して戴いた。

村田春樹氏の次の一文「小和田恆という人」に強い感銘を受けた。氏は楯の会ご出身で、潔癖と断固たる行動の人だが、この小和田恆論は、凡百の風説と違い、講演の記録を通じて一人の人間を見詰める偏見なき透徹とした村田氏の眼光が光る。村田氏の人間的風韻を通じて小和田氏の在り方、生き方が浮かび上がる。多くの方々と分かち合いたい。

尊敬する高名な碩学小川氏の過褒にあずかり、小躍りするほど嬉しかった。ここに再掲する。

小和田恆という人

【早稲田大学法学部主催講演会】「国際法六十五年の人生」小和田恆氏

日　程　平成三十年七月二日(月)十六時三十分—十八時

会　場　早稲田大学 早稲田キャンパス八号館B一〇七教室

講　師　元国際司法裁判所裁判官　小和田恆氏

参加費　無料

対　象　学生・大学院生・教職員・一般

畏友EM氏の誘いがあり、我々EM氏・氏の細君・A嬢・B嬢・C嬢の計六人で参加した。

約百五十人収容の教室はほぼ満席、我々のような学外のオヤジおばさんは十数人。あとは学生であった。私は早めにいって最前列を確保、定刻少し前に法学部長と担当の女性教授と共に小和田氏が入場した。あまりの痩せ様に一驚した。目はくぼみ目の周りは黒くなり、顔色は悪く（黄疸?）気の毒だった。氏は、前から二番目に座っていたEM氏の前の席に座ろうとして、EM氏に深々と頭を下げたのには感心した。こういう振る舞いはなかなかできない。EM氏に後から聞いたが恐縮したそうである。法学部長が簡単に挨拶して、ピンマイクをつけた小和田氏が登壇。以下氏のお話のごくごく一部を紹介する。実際は丁寧な「ですます調」だったが簡略化した。（　）内は私の感想である。

私は体調を崩して入院していた、本来のスタイルで話す自信がない。座って話すことを許されたい（ここで用意されていたペットボトルの水を飲もうとして栓を開けようとされたが力がなくて開かない。なかなか開かないので皆気をもんだが、最前列の私が出て行って開けてあげた。軽く開いたが、この程度の力もないのか、と驚いた）。今日は学術的な話ではなく、自分の人生の随想みたいな形になるかもしれない。原稿もない。六月末に国際司法裁判所を退官した。私は中学一年の歳に敗戦を迎えた。昭和二十六年に大学に入学。まさにGHQの占領期間が少年時代だった、このことから私は「日本は何をしなければならないのか」をひたすら考え、生涯の目標となった。ケンブリッジの大学院に四年間留学したが、実に実に生涯最高の日々だった。東京大学で国際法を横田喜三郎先生に学んだが、ケンブリッジに行って見て、横田氏のは生きた国際法ではなかったことに気づいた。ケンブリッジでこれが本当の国際法だ！　と言うことを学んだ（このあと終盤でもう一度横田喜三郎をはっきりと批判否定した）。私は研究と実践両方をやってきたことになる。振り返ると公務員として外交官として三十年、アカデミズム（大学教授）として二十年（ケンブリッジ・早稲田等で教授）、司法裁判所十五年（うち三年は所長）、自分が日本のために何ができるかを常に考えてきたが、六十五年でひとつの幕が閉じたと思う。わたしは海洋法条約とつきあってきた。日本の利益をいかに最大化するかが使命だった。アカデミズムでは好きなことを言えるが影響力は限られていた。司法裁判所では四十〜五十の判決に関わった。所長の時は十いくつだった。三つ具体例を挙げる。一、ベルギーとセネガルの拷問事件、二、ドイツとイタリアの主権免除事件（いずれも専門的でよくわからないので省略するが、ドイツとイタリアの主権免除事件については文末の注参照）、三、日豪捕鯨事件である。これは判事十二人対四人で日本が敗訴したが、私は日本を支持した。日本は捕鯨条約に違反していない。鯨が減少していると言うことを立証する責任は日本にはなく豪州にある。承服できない（ここでほんの少しだが感情がお顔に出ていて捕鯨批判に憤っておるようだった）。

以下若い人たちに申しあげたい。皆さんはこれからビジネス、アカデミズム、ジャーナリズム、公務員として生きていくのだろうが、法律条文の背後に横たわっているものを見つめることが大事。何をやるにしても初心を忘れてはいけない。

ところで文部省の言うゆとり教育ほど馬鹿げたものはない、材料をあてがわず時間をあてがうなんて馬鹿なことがあるか（上品な口から馬鹿いうことばが二回も出てきたのには少し驚いた）。若い皆さんは他流試合をしなさい。具体的にはどんどん外国に留学して、国際的な説得力を身につけてほしい。国際裁判所では私のアイデアだったが、十五人の裁判官に一人ずつ若手を採用した、いわゆるロー・クラークみたいなものです。このキャリアは国際法の世界では大いに役立つと思う。実際に二百倍の応募があった。この二百倍は全部第一希望であり、滑り止めとかそういうものはない。従ってものすごく優秀な人が入って来て雇用された。残念ながら当初は日本人が皆無で中国人が多かった。しかしここにきて一人日本人が採用された。早稲田大学から東大の大学院で博士号を取った人で、雇用してみると実に優秀だった、みなさんの先輩ですよ。

ところで今日この講演を引き受けたのは、私は早稲田で足かけ五年教鞭をとっていて、いわば一宿一飯の義理があるからです（この上品な方からこんなやくざ言葉が出てくることに、思わずニヤリとしてしまった）。グローバリゼーションと国際化は違う、国際化とは幕末の開国～明治維新を指す。西欧諸外国は二百ボルト、そのまま国内の百ボルトと連結してしまうと日本はおかしくなってしまう。当時の指導者は変圧器を苦心惨憺して作って日本を近代化した。グロバリゼーションとは変圧器を入れずそのまま一つの世界を構成してしまうことであり、主権国家は消滅する運命になる。

氏はなぜかペットボトルの栓を開けた私の方を見つめてお話されるので（私の背後にいた美女を見つめていた、と言う人もいる）私は姿勢を崩せずつらかったが、話が面白く、しかも知的雰囲気にあふれていて、何十年ぶりに（初めて）本当の碩学を間近に見て興奮してしまった。

一時間二十分ほどで終わり男子学生が二人質問した。一人は「先ほど先生は正義の実現とおっしゃらずにジャスティスとおっしゃったが」という質問に氏は、良い質問だとして、実に丁寧に回答された。拍手大喝采で終わった。実に得がたい体験だった。

周囲も、皇太子の岳父などということは微塵も意識していなかった。優秀な学生が真摯に碩学に学ぶという空気が充ち満ちていた。私の母校のレベルが往事とは格段に異なることを感じた。私は氏に誠実さと若い人への真摯な期待をひしひしと感じた。そして意外だったのは横田喜三郎と反捕鯨とゆとり教育とグローバリゼーションへの批判である。

氏は今後健康上や岳父という立場上、政治的な発言をしないだろうが、もし、自由なお立場であったら、小田村四郎先生や三好達先生のような人物になったのではないだろうか。右とか左とかそういうレベルではない。超越している。田中美知太郎先生や岡潔先生も、氏のような雰囲気を持っていたのではないだろうか。現今日本で最高の知性が目の前にいて、ペットボトルの栓を開けてあげたということは、我が人生の大きな自慢の一つになる。

余談だが六時に終わり、まだ日が高いので、同行の美女連と早稲田大学大隈庭園の中にある瀟洒な教職員専用レストランで、ビールとワインを楽しんだ。私には常にこういう艶やかなおまけが、なぜかついて回るのだ（笑）。

（注）現在韓国の最高裁で、新日鐵や三菱重工の朝鮮人徴用工賠償が争われている。もし日本企業に賠償命令が出た場合でも、日本企業は支払いに応じないと言っている（新日鐵・三菱重工の株主総会でここ数年毎回村田が確認済み）。

しかしもし応じなかったら、その企業の在韓国の資産を差し押さえられるかもしれない。その懸念がある。しかし万一そうなった場合に、このドイツとイタリアの国際司法裁判の判例が生きてくるかもしれない（素人の村田の勝手な感想です）。

（平成三十年七月三日ＦＢに投稿）

皇后陛下に捧ぐ

早いもので令和の御代も一年がたった。この武漢ウィルス禍のさなかに思い起こせば、一連の御即位行事の頃は幸せそのものだった。私は昨令和元年五月四日の一般参賀で喉も裂けよと万歳を叫んだ。十月二十二日の即位正殿の儀では、雨がやんで皇居の上には虹がかかった。平成五年六月九日の御婚礼は朝から大雨だったが、夕方にはからりと晴れて、オープンカーでにこやかにお手を振られる両殿下に、やはり万歳を叫んだことを思いだした。今回特に嬉しかったのは皇后陛下雅子さまの御体調が快復され、皇后としての完璧なお振舞いをなさるお姿である。嬉しくて万歳を何回も叫んだものである。そして祝賀御列の儀で涙ぐまれるお姿に、私も落涙を禁じえなかった。

幸せだった！　日本人として生まれて本当に良かった、と実感したものだ。両陛下は御即位早々五月にはアメリカ大統領夫妻、六月にフランス大統領夫妻を謁見、皇后陛下雅子さまは流暢な英仏語で話され、両夫妻を感心させたそうである。国民体育大会や台風へのお見舞い等国内の行幸啓も精力的にこなされ、フランシスコ教皇猊下とも親しく御歓談され、洵に喜ばしい限りである。正殿の儀で御帳台の上で微動だにしない皇后陛下のお姿を拝して、つくづく「人間も生きながらにして神様になれるんだぁ」とため息を漏らしたものである。かつて皇后陛下美智子さまに謁を賜った某国の要人が「人間ではない、天使だ」と評したそうだが、お二人とも生まれながらにしての皇族ではないのに、地上から何十センチか浮き上がっているように感じられる。

そこで、今回紙面を藉りて、皇后陛下雅子さまについて頌歌と呼ぶにはお恥ずかしいが、駄文を草したい。

一、父方小和田家

越後村上藩町同心小和田新六の子が道蔵匡春（郡方懸り）、その子が兵五郎匡利（町同心）。明治になりその子金吉は税務吏の傍ら聾唖教育に尽力。その子毅夫は廣島高等師範学校を卒業、新潟県下の中等学校高等女学校（今の高校）校長を歴任した人望家である。その毅夫氏には子が八人いた。長男は東京大学から大学教授漢学者、長女は早逝、次女は奈良女子大卒、次男恆氏は東大から外務省（この方が雅子さまの御実父）。三男は東大から弁護士、四男は東大から高級官僚、三女は御茶ノ水女子大卒、五男は東大から高級官僚。見事な秀才才媛家系である。

さてこの小和田恆氏は、いわゆる愛国保守業界（陣営と称する人もいるが私は敢えて業界と呼ぶ）では甚だしく評判が悪い。小和田恆氏悪玉左翼論は、この業界の特にインテリの人口に膾炙しており、下手に反論しようものなら叱りつけられてしまう。

電気通信大学の西尾幹二名誉教授は「小和田恆氏は進歩的反日思想の持ち主であることは紛れもない。」「皇室の行事にはたいてい欠席する雅子妃が妹一家とは頻繁にお会いになっている。庭先の奉仕団へのご会釈にもでられないのに、スキーだけは休まない。そういうことが国民を傷つけています。それは明らかに小和田家の影響ですね。皇室に一般人の自由を持ち込みはじめている。」と容赦ない。

上智大学の渡部昇一名誉教授（故人）などは「国賊」と斬り捨てている。国賊の罪状は昭和六十年十一月八日第百三国会衆議院外務委員会での答弁である。この答弁で「小和田条約局長（当時）は『日本は東京裁判の判決（ジャッジメンツ）を受諾した』と言うべきところ、『裁判そのものを受諾した』としてあの不当な裁判ともいえない茶番劇を認め、その結果日本をハンディキャップ国家に貶めてしまったのだ」とこき下ろす。

ところが私の周囲の小和田恆氏悪玉左翼論者に、実際にこの外務委員会の議事録を詳細に読んだ人は一人もいない。ネットで簡単に検索できるのに。

この委員会で小和田氏はご自分の政治思想、歴史観を披瀝したのであろうか。このとき、氏は言うまでもなく個人としてではなく、条約局長として答弁している。この答弁を三十年近くたった平成二十四年になってあげつろい、小和田氏個人を非難し続けるのはなぜだろうか。もしこのとき一緒に答弁していた後藤利雄アジア局長が条約局長であったなら、小和田氏と寸分違わぬ答弁をしていただろう。逆に小和田氏がアジア局長であったら、同様に後藤氏と同じ答弁をしていただろう。しかも土井たか子議員を相手に答弁するのであるから、事前に外務大臣や他の局長審議官を交えて周到に準備していたはずである（質問は事前に伝えられており安倍晋太郎外務大臣も答弁している）。

仮に小和田氏の答弁が問題だとしても、その責任は安倍外相以下外務省全体が、さらには中曽根総理大臣が負うべきものではないだろうか。一介の局長である小和田氏の責を問うのはまったく合点がいかない。

悪玉論者に問いたい。ジャッジメンツを論者の主張通り「裁判」ではなく正しく「判決」と訳していたら、その後の日本の姿は少しでも変わっていたのだろうか。日本がハンディキャップ国家に転落してしまったのは、この昭和六十年の小和田答弁が原因なのであろうか。

答弁の前も後も何も変化はなく、日本はずっとハンディキャップ国家であり、終戦時十二歳の氏には何の責任もない（この様な根拠なき誹謗中傷に一切言挙げしない氏の凜乎たる姿勢には、皇室の外戚にふさわしい威厳と節度を感ずる）。

さらに業界の悪玉論者に問いたい。国家公務員は任命時に「日本国憲法を遵守し不偏不党かつ公正に職務の遂行に当たることをかたく誓」っている（職員の服務の宣誓に関する政令昭和四十一年二月十日政令第十四号）。紙数の関係で詳細は省くが、反日憲法を遵守している公務員が反日姿勢をとるのは当たり前ではないか。外交官が「平和を愛する諸国」に媚び諂うのも憲法前文を遵守しているからであり、さらに九条によって武力の後押しを欠いているのだかち理の当然ではないのか。

左に整理してみる。

一、小和田恆氏が解釈（翻訳）を間違えたのではない。条約締結時昭和二十六年の政府の公式の翻訳がジャッジメンツ↓裁判となっており、小和田氏はそれを踏襲し、委員会で説明しただけ。当然の行為である。

二、この昭和六十年時点でも外務省の公式翻訳はジャッジメンツ↓裁判である。（もちろん今でも同じ）条約締結時、小和田氏は十九歳、なんの責任があるのだろうか。

三、日本国は実際に判決だけを受諾したのではなく、裁判全部を受け入れている（さらに今現在も慰安婦・強制連行・南京等々左翼・マスコミにより裁判は続いている）。

四、この一〇三国会外務委員会には多くの局長が出席している。もし他の人物が条約局長だったら解釈を、渡部・西尾両名誉教授の気に入るように「判決」としたであろうか。小和田氏と同じく公式翻訳の「裁判」としたに違いない。

五、もし他の人物がこの時点で条約局長であったら、渡部西尾両名誉教授は今になって名指しで取り上げたのだろうか。

六、この時点で昭和二十六年からの解釈を変えた（間違えた）のであれば大騒ぎになっていたはずだが、翌日の新聞各紙には一行も出てこない。そもそもこの外務委員会自体がまったく報じられていない。

七、外務大臣以下多くの局長がこの委員会のために会議や打合せ話をしている。こういう場面で小和田氏は自分の政治的意見や歴史解釈、主義主張を披瀝したのであろうか。そういうことが可能なのだろうか。

八、そもそも日本はポツダム宣言を受け入れて降伏した。その時から今日まで日本はハンディキャップ国家である。終戦時小和田氏は十二歳、責任があるのだろうか。

結論　小和田恆氏のいったいどこが悪いのだろうか。

要するに渡部西尾両名誉教授も、重箱の隅をつついても何も出てこないので、八つ当たりしているだけである。小和田氏が憎いだけなのである。ではなぜ憎いのか。東宮妃（当時）が気にくわないからである。ではなぜ東宮妃が気にくわないのか。

男系男子を産んでくれないからである。名誉教授お二人とも我が皇朝の行く末が心配で心配でならない。だから男子を産まない（産めない）東宮妃が気にくわないのである。そして強いて言えば、東宮も気にくわないのである。いや、今の皇室全体が気にくわないのである。自分の理想とする皇室像と、まったく違う皇室になってしまっているから不満なのである。皇室皇族批判ができないから、東宮妃の岳父を批判して溜飲を下げているのではないか。

ニーチェ曰く「すべての王党派の変わらぬ一番の悩みは、王様や王族が、自分たちの理想像とかけ離れていることだ」。

さて、小和田氏は業界人に蛇蝎の如く嫌われているが、それほどリベラルなのだろうか。氏は、日本は中韓両国に永久に謝罪しつづけなければならない国だと考えているのだろうか。人物を知るのに著書を読むにしくはない。昭和五十四年から平成六年の十五年間の論文や講演の文字起こし十六編を注意深く読んでみた。

「小和田氏は『ハンディギャップ国家』だと言い立てている」という西尾教授の談があるので、目を皿のようにして探したが一行もなかった。どうやら『参画から創造へ――日本外交の目指すもの』（都市出版）の一節一回だけの発言を「言い立てている」と言い立てているのだろう。

我々を喜ばせる文言も一行もなかった。そして東京裁判臭もまた一行もなかったのである、私の鼻は東京裁判臭には敏感である。しかしこの書を嗅ぎ回ったが臭わないのだ。こういうと、「村田は小和田を擁護している、とんでもない！」と叱られるだろう。しかし、叱る前に氏の著書を読んでからにしていただきたい。

『参画から創造へ――日本外交の目指すもの』の中でも特筆すべきことがある。平成五年四月、外務省に入省してきた新人キャリア職員への訓示である。その冒頭から、氏はこの半月前にカンボジアで殉職した故中田厚仁氏（享年二十五）のことに触れ、絶賛している。人間にはヒーローとアンチヒーローがいるという。小和田氏のヒーローはこの故中田厚仁氏である。間違いない（余談だが私のヒーローは、昭和四十五年十一月二十五日、市ヶ谷台で三島由紀夫氏とともに、日本国憲法に身体をぶつけて自決した、森田必勝さん（享年二十五）である。ついでだがアンチヒーローは河野洋平である）。

小和田氏はアンチヒーローについても書いている。氏のアンチヒーローはコーデル・ハルである。「日米開戦に至る過程において、仮にアメリカで当時国務長官をしていたのがコーデル・ハルでなく、別の人だったらどうであっただろうか、ということを考えてみたことがあるでしょうか」と職員に問うている（昭和五十一年条約課長時代、外務省研修所にての講演）。終戦時十二歳の小和田少年は数年後に東大に進み、ハルノートを知ったのである。ハルノートについては本誌読者には贅言を要しないだろう。小和田少年は「日本は挑発されたのである。窮鼠猫を噛んだのである」と思ったのではないだろうか。余談だがコーデル・ハルは後に国際連合をつくった貢献によりノーベル平和賞を受賞している。

氏がハーグの国際司法裁判所の判事になってから、一時帰国して講演したことがある。平成二十五年、京都大学に於いてのことである。ごく一部を抜粋する。

「私が東大を出たとき、助手で残るよう、教授に誘われたがお断りした。国際的に役に立ちたいと思ったからだ。その後、四十年外務省にいたが常に日の丸を背負って仕事をしてきた。『あの日本がいうなら仕方ないや』と外交交渉がうまくいく場面も多かったが、自分の努力や能力で交渉が成功した、とは一度も考えたことはない」。

「ハーグ（国際司法裁判所）に来て、日の丸を背負わずに仕事をすることが、いかに大変か、公然と同僚から批判が飛んでくることもあるし、そのなかに伍してやってゆくことは並大抵の覚悟ではできない」。

「国際司法裁判所の仕事は、日本を代表して、日本の権益に沿うような判決にするものではまったくないこと。そこを竹島問題でも韓国は知るべきでしょう。堂々と韓国人裁判官を審理に加え、対等に審理できるシステムになっているのです」。

これは竹島問題で、国際司法裁判所に出てこない韓国を、暗に批判したものである。

どうやら小和田氏は、渡部西尾両名誉教授の言うような、「東京裁判史観の徒」ではないようだ。そんなものを遥かに超えた存在かも知れない。（注1）

平成三十年七月、早稲田大学に於いて私は小和田氏の講演を拝聴する機会を得た。その時私は氏に誠実さと若い人への真摯な期待をひしひしと感じた。そして意外だったのは「横田喜三郎」と「反捕鯨」と「ゆとり教育」と「グローバリゼーション」への痛烈な批判である。僭越だが私とまったく同じ考えではないか。

氏は今後健康上や岳父という立場上、政治的な発言をしないだろう。しかし、もし自由な立場であったら、小田村四郎先生や小堀桂一郎先生や三好達先生のような人物になったのではないだろうか。右とか左とかそういうレベルではない、超越している、田中美知太郎先生や岡潔先生のように碩学と呼ばれるにふさわしいと思う。

二、母方江頭家

皇后陛下雅子さまの母上優美子さんの父上の父上は佐賀県鍋島藩士族江頭安太郎海軍中将である。母上の父上は盛岡藩士族山屋他人海軍大将である、日本海海戦に於けるT字戦法の発案者と伝えられており、海軍兵学校海軍大学校常に二番の大秀才であった。その山屋他人が終始頭が上がらなかった、常に悠々一番を維持していた人物が江頭安太郎である。江頭安太郎の三男豊と山屋他人の五女壽々子が結婚して生まれた一人っ子が優美子さんである。繰り返すが海軍大学校常に一番と二番の大秀才の子供同士の子供である。しかもこの優美子さんは大変な美貌で、嫁いだのが小和田恆さんである。雅子さまは母親の母親、つまり壽々子お婆さん（同居）にとてもかわいがられた。母親優美子さんが外交官の妻ということで外出の機会が多く、留守の時は母親代わりに育ててくれたという。壽々子さんはこの才気あふれる孫娘にしばしば昭和天皇の聖徳を語って聞かせていたそうである。

また、雅子さまがロシアやアメリカの保育園にいたときは、日本の子供雑誌を送ってくれていたそうである。ついでだが優美子さんの従兄に文藝評論家の江藤淳（本名：江頭敦夫）がいる。江藤は終戦後のGHQによる言論弾圧を告発するなど、我が業界では好意的に迎えられており、私も好きな評論家であった。だから我が国の左翼からは右翼と見做されていた。二人は同い年であり、仲が良かったに違いない。この江藤淳と小和田恆氏二人が三十代後半から四十第前半、なんと安岡正篤の而学会で机を並べて学んでいたという。

三、ご本人は日本に誇りを

皇后陛下雅子さまはハーバード大学卒業外務省に入省、オクスフォード大学に留学、その華麗な履歴から、雅子さまを帰国子女のように考える人、日本人としてアイデンテティを喪失したかのように言う人が業界に多い。確かに保育園はモスクワ、小学校一年生はアメリカであった。しかし小学校二年生から高校一年まで義務教育のほとんどを日本の学校で過ごしたことは忘れられている。しかも雅子さまはハーバード大学では、進んで日本文化クラブに入会している。寮で同室だったプエルト・リコ出身の女学生は「日本文化クラブにはまるで使命感があるかのように率先していた。日本に興味をもって質問する学生には写真やガイドブックを見せて説明を怠りませんでした。恥ずかしがり屋のマサコが前に出て、通行人たちに声をはりあげている姿を見たときには、日本人として誇りを持っていることがよくわかりました。ピアノで『さくらさくら』等日本の曲を演奏したり、海苔巻きを作って振舞ったり、和服でお茶をたてたり、一生懸命でした。当時私も日本についてよく知らなかったのですが、彼女の説明を聞いているうちに興味を持つようになりました。なかでも日本人は心の奥ゆかしさや慎み深さというものがあって、主張だけでなく相手の心を思いやるということができると語っていたのを思いだします」。

雅子さまは従来学校でもクラブ活動でも級長班長主将などトップに就いたことはない控えめな性格だったのだが、日本文化クラブの会長には率先して就任した。使命感を持っていたのであろう。プエルト・リコ嬢は続ける

「マサコは大変な努力家で、人との関係はどんな状況でも平等でありたいと願っている人でした。とてもピュアでそんなところがアメリカ人から好感を持たれるのだと思っていました。が、それは日本人にもきっと届くと思っています。マサコはハーバードの学生のように教育を受けた者こそ、世界に自国の文化などを伝えていかなくてはいけないと言っていました」。

御婚約発表直後、文藝春秋のインタビューに母親優美子さんは、

「雅子は『このままアメリカにいれば根無し草のようになる。これは私のアイデンテティの問題だ』とよく口にしておりました。わたしたちの家庭はごく日本的な家庭でございます。

子供は日本人として育てたかったんです。外国で暮らしているだけにその分余計に日本人とはどういうものか教えておきたかったと思っておりました。ですから正月の行事やひな祭り七夕さまと言った行事は海外にいましてもきちっとやるようにしておりました」と語っている（『文藝春秋』平成五年三月号）。

以上、皇后陛下雅子さまの父方母方からご本人の御心に思いを馳せると、皇后陛下雅子さまのご快復ご活躍ほど喜ばしいものはない。そして日本人としての誇りを強く持たれていることを知るにつけ、今後のご活躍の期待は高まるばかりである。

世に鴛鴦夫婦は多いが、両陛下程仲睦まじいカップルは珍しい。お互いに深く愛し慈しみ尊敬しあっていることは、庶民でもわかる。私はこの令和の御代が両陛下のお陰で素晴らしい時代になることと確信している。

四、令和の御代に期待すること

平成の御代を振り返って残念なことが二つある。一つは天皇陛下御自らの靖国神社御参拝ができなかったことである。昭和天皇は、戦後は昭和二十六年十一月二十日から五十年十一月二十一日の間八回にわたり御参拝されたが、その後は御参拝されることはなかった。そして平成の御代には、天皇陛下はついに一度も御参拝されることはなかったのである。平成の御代が終わった直後の令和元年五月十一日に、沼山光洋烈士が「御参拝いただける環境を作ることができなかったこと」を心からお詫びして、靖国神社社頭で壮烈な割腹自決を遂げたことは記憶に新しい。沼山烈士は、「先帝陛下へ、天皇陛下へ、お詫び申し上げるための自決です。靖國神社御親拝をお望みであらせられる天皇陛下が、靖國神社へ御親拝できない状況を打破できない、天皇陛下の靖國神社御親拝を妨げる勢力を打倒できないことをお詫び申し上げ」たのである（遺書より）。まさに痛恨の極みであり、我々にとって、今上陛下靖国神社御参拝の重要度はいや増したと言えるだろう。

もう一つ重要な課題がある、八月十五日の全国戦没者追悼式における「おことば」である。全国戦没者追悼式は主権回復直後の昭和二十七年五月二日、新宿御苑での開催を嚆矢とする。昭和三十四年第二回、昭和三十八年第三回、以降毎年八月十五日に両陛下をお迎えしてしめやかに開催されている。陛下のおことばも首相の式辞も例年「戦陣に散り，戦禍にたおれた人々に対し、心から追悼の意を表します」という追悼のみの型通りのもので、取り立てて報道されるようなものではなかった。

ところが平成五年八月、政権発足時の所信表明演説で「過去の我が国の侵略行為や植民地支配などが多くの人々に耐えがたい苦しみと悲しみをもたらしたことに改めて深い反省とおわびの気持ちを申し述べる」と述べて一部マスコミから喝采を浴びた細川首相は、発足六日後の戦没者追悼式での式辞で「戦争を永久に放棄することを国家の意思として宣言し、平和国家としての再生の道を戦後一貫して歩んできた日本国民の総意として、この機会に、アジア近隣諸国をはじめ全世界すべての戦争犠牲者とその遺族に対し、国境を越えて謹んで哀悼の意を表するものであります」と述べたのである。これには朝日新聞はじめマスコミが飛びついて絶賛し、さっそく中韓に御注進、両国政府も歓迎する談話をだしている（内政干渉）。

翌六年八月十五日、村山首相は、「アジアをはじめとする世界の多くの人々に、筆舌に尽くしがたい悲惨な犠牲をもたらしました。その方々の苦しみと悲しみに対しましても深く思いを致し深い反省とともに謹んで哀悼の意を表したいと思います」と深く反省している。ここに、百艱を冒し萬死を顧みぬ忠誠勇武なる将兵は完全に加害者になり、天翔ける英霊から一転地に墜ちて罪人になってしまったのである。歴代首相は以後、毎年この式辞で「深い反省を」述べなくてはならなくなる。靖国参拝問題とまったく同じ構図である。

平成十九年第一次安倍内閣も「とりわけアジア諸国の人々に対して多大の損害と苦痛を与えました。国民を代表して、深い反省とともに」、と歴代内閣を踏襲している。ところが、この流れに終止符を打ったのが平成二十四年十二月に発足した第二次安倍内閣である。翌二十五年八月十五日の式辞で、安部首相は「御霊を悼んで平安を祈り、感謝を捧げるに、ことばは無力なれば、いまは来し方を思い、しばし瞑目し、静かに頭（こうべ）を垂れたいと思います」と「反省」から「感謝」に一気に百八十度転換したのである。忠誠勇武なる将兵は再び英霊となった。さっそく一部マスコミが中韓を使嗾して共に猛反発したのは言うまでもない。しかし、安倍首相は意に介さず、翌二十六年も反省せず、感謝を捧げたのである。ここまでは良かった。しかし翌二十七年、思いもよらぬ衝撃があった。天皇陛下のお言葉に「ここに過去を顧み、さきの大戦に対する深い反省と共に、今後、戦争の惨禍が再び繰り返されぬことを切に願い」と、反省しない安倍首相に代わって、天皇陛下がおことばで反省されたのである。一部マスコミと中韓の喜ぶまいこと。なんとお蔵入りしていた細川村山内閣の「反省」が息を吹き返してしまったのである。英霊にとって、むろん首相の式辞より陛下のおことばの方が遥かに重い。忠誠勇武なる将兵は「天皇陛下万歳」を叫んで、北辺に斃れ、南溟に散ったのではないだろうか。嗚呼、ここに戦後レジームはさらに鞏固なものになってしまったのである。

かつて三島由紀夫先生は「などてすめろぎは人となりたまひし」と嘆いた(「英霊の聲」)。不遜極まりないが私も敢えて嘆く「などてすめろぎは反省したまひし」。

さらに驚くことが続く。その翌二十八年、天皇陛下のおことばは、引き続き「深い反省」となったが、安倍首相は式辞で、「より改めて、衷心より、敬意と感謝の念を捧げます」と、「感謝」に「敬意」をプラスしたのである。以後、令和元年八月の追悼式まで、陛下のおことばと首相の式辞が完全にねじれ状態になっている。そして一部マスコミは、毎年「首相今年も反省せず」と書き立てている。左に整理してみる。

天皇陛下おことば　　首相式辞

昭和二十七年〜平成四年　追悼のみ　追悼のみ
平成五年〜二十四年まで　追悼のみ　反省
二十五年　追悼のみ　感謝
二十六年　追悼のみ　感謝
二十七年　深い反省　感謝
二十八年　深い反省　敬意　感謝
二十九年　深い反省　敬意　感謝
三十年　深い反省　敬意　感謝
令和元年　深い反省　敬意　感謝

このねじれ状態はいつまでつづくのであろうか。英霊はもとより御遺族も我々国民も、いったいどうしたらよいのであろうか。

この状態にピリオドを打つことができるのはむろん今上陛下しかおられない。

今上陛下が、日本人としての誇りをしっかり持たれている皇后陛下と相携えて、英霊を「反省＝罪人という戦後レジームの桎梏」から解放していただきたく、熱烈に念じて筆を擱く。

（『保守』令和二年四月号）

追記　右の「おことば」と「首相式辞」は、令和五年に至るもまったく変わっていない。

コムロ禍で皇統は断絶する

一、姫宮のノブレス・オブリージェとは

日本は戦後七十年ずっと「暫定期間」であった。
憲法・皇室典範はもとより、大事な問題がすべて棚上げされてきたのだ。象徴天皇とは何か、どうあるべきなのか。我が国の国体は君主国なのか共和国なのか。天皇皇族は国民なのか個人なのか、皇族の権利は何か義務は何か。最も大事なものが棚上げされて今日に至っている。令和二年十二月二十八日の産経新聞「正論」欄で東洋学園大学の桜田淳教授は「振り返れば戦後（中略）立憲君主制度の条件に関してそれにふさわしい議論は総じて怠けられてきた。この宮家に係わる一件（村田注：御結婚問題）にはそうした『怠惰』の一端が反映されている。（中略）過去七十余年に積もった『議論の怠惰』の『つけ』を返し始めるのには、もはや一刻の猶予もあるまい」と鋭く正しく指摘している。

日本国憲法第一条。天皇は、日本国の象徴であり日本国民統合の象徴であつて、この地位は、主権の存する日本国民の総意に基く。
第二条　皇位は、世襲のものであつて、国会の議決した皇室典範の定めるところにより、これを継承す。

第一条の「国民の総意」と第二条の「世襲」はあきらかに矛盾している。しかし、この問題は棚上げされてこられた。要は日本人は怠惰だったのだ。

　第十四条　すべて国民は、法の下に平等であつて、人種、信条、性別、社会的身分又は門地により、政治的、経済的又は社会的関係において、差別されない。②華族その他の貴族の制度は、これを認めない。

では、華族貴族の最たるものである皇族はどうなのか、一切記述はない。皇族制度というものは憲法違反ではないのか（憲法が皇族制度に違反しているのではないのか）。

そもそも、すべての国民は法の下に平等であるはずだが、皇族は憲法の規定に守られまた拘束される国民なのか個人なのか、一切議論されてはこなかった。

さてノブレス・オブリージェ（noblesse oblige）というフランス語がある。「高貴さは義務を伴う」という意味であり、「貴人は義務を強制される」とも訳される。簡単に言うと庶民が貴人を見て「彼らも大変だなあ」と思うことである。戦前日本では皇族男子は全員軍人になることが義務づけられていた。明治六年十月、東伏見宮嘉彰親王（二十七）と伏見宮貞愛親王（十五）が「欧州各王族の子弟は皆軍人である事に倣い、自分たちも軍人になりたい」と申し出た。明治天皇はこれを許可し、十二月には各宮家に対し「皇族自今軍に従事すべき旨仰せ出され候条、この旨相達すべきこと」との宮内省達が発せられた。さらに明治四十三年には皇室身位令で法制化された。

皇室身位令十七条　皇太子皇太孫は満十年に達したる後陸軍及海軍の武官に任ず

親王・王は満十八年に達したる後特別の事由ある場合を除くの外陸軍又は海軍の武官に任ず

庶民には徴兵制度があったがさまざまな免除規定があり、平時には営門をくぐった壮丁は該当年齢の数％と言われている。しかるに皇族男子はほぼ百％軍人になったわけである（極めて少数の例外あり）。つまり皇族男子には職業選択の自由はなかったのであり、庶民はこれを見て、「皇族も大変だなあ」と思ったのだ。

英国では現在に至るも王族は軍務につくことになっている。チャールズ王太子は二十代に英国空軍で輸送機の操縦等の訓練を受け、海軍では駆逐艦の乗員として訓練を受け、二十八歳で哨戒艇の艇長を務めている。次弟アンドルー王子は海軍兵学校を卒後、空母に乗組み、昭和五十八年のフォークランド紛争にヘリ乗務員として出征している。末弟エドワード王子も海兵隊の士官を務めている。ついでだが母のエリザベス二世は王女の時（王位継承権第一位）、第二次世界大戦末期の陸軍女子国防軍に第二准大尉として入隊、軍用車両の整備弾薬管理等に従事、芳紀十九歳で軍服姿凛々しく軍用車を運転する写真が知られている。英国では姫宮にもノブレス・オブリージェがあったのだ。

　では日本の姫宮（内親王女王）のノブレス・オブリージェは一体何だろうか。日清戦争時に皇后は負傷兵の包帯を手ずから裁縫され下賜された。姫宮はこぞってこれに倣ったことは言うまでもない。傷病兵は感泣し使用済みの包帯を除隊後家に持ち帰り家宝とした者が多かったと伝えられている。余談だが令和二年六月武漢ウィルスとたたかう医療従事者に秋篠宮皇嗣殿下ご一家が、お手ずから防護ガウンを数多く作られて下賜されたとの報道を耳にして、私は昭憲皇太后のこの先例を思いだした。さて昭和に入り内親王は幼少の頃から両親から離され、呉竹寮と呼ばれた、今の東御苑に建てられた寮で暮らす義務があった。大正時代の東宮御学問所に倣ったものであろう。いずれは他の宮家または上級華族に降嫁する身、元内親王として恥ずかしくないよう、他の華族の見本たるべく作法動作を徹底的に厳しく躾けられたという。「姫宮も大変だなあ」と思われたことであろう。

　では日本の現在の姫宮はどうであろうか。ご両親の膝下でのびのび育てられ、幼稚園から大学まで、庶民と机を並べて楽しく学ばれている。明治二十二年の皇室典範には第三十五条「皇族は天皇之を監督す」とある。皇族は天皇の監督に服さなければならない義務があったのだ。しかるに現在の典範にはその規定はない。また旧皇室典範第四十条に「皇族の婚嫁は勅許に由る」とあるが、現在の典範にはない。さらに現在の典範の第十条に「立后および皇族男子の婚姻は皇室会議の議を経る事を要する」とあるが、皇族女子についてはなんら規定がない。第十二条に「皇族女子は天皇および皇族以外の者と婚姻したときは　皇族の身分を離れる」とある。要は結婚すれば皇族ではなくなるので特に皇室会議を必要としないということなのであろう。となると、姫宮は、好きな学問を学び好きな仕事に就くことができ、憲法第二十四条に基づいて「両性の合意があれば」結婚できる。要は庶民から「姫宮も大変だなあ」と思われる事は何も無く、かえって「羨ましいなあ」と思われるご存在である。要は桁違いのセレブであり、それ以上でもそれ以下でもないのだ。

つまり憲法上も皇室典範上も姫宮は一般国民となんらかわりはない。選挙権被選挙権がないことが不自然に思えてくる始末である。せめて姫宮は「両性の合意では結婚できない。結婚は天皇の勅許と皇室会議の議事を経なければならない」としなくてはならないのではないだろうか。戦後七十年の暫定期間棚上げされてきた「皇族は国民なのか個人なのか」という設問に、ここで結論を出し、「皇族は国民でも個人でもなく憲法に保護もされないが制約もされない御存在である」とすべき時が来ているのだ。そうなれば姫宮は級友から「姫宮は恋愛結婚ができないのか、大変だなあ」と思われるだろう。そのぐらいの義務を負うべきなのだ。そして決められたしかるべきお相手に粛々と嫁いでいく。それが姫宮のノブレス・オブリージェであり、その姿は庶民からも畏敬の念を持って見られるであろう。戦前は皇族はもちろん華族も庶民も好きな人と結婚できなかった。今思うと気の毒なようだが、さにあらず。結婚すればすぐに相親しみ添い遂げる例が圧倒的に多かったのだ。

二、しかるに現実は？

現下日本の最大の懸案事項は、皇統断絶の危機だと思う。次世代皇族男子が悠仁親王殿下お一人になってしまう。私は今まさに眞子内親王殿下御結婚問題（以下御結婚問題）で皇統断絶という谷底へまっしぐらに墜落していると悲観的になっている。

その前に指摘したいのは、小室氏の人権である、日本中から結婚反対の総攻撃。森元首相の「女の話は長い発言」への批判どころではない、まさにメディアリンチである。プライバシーを暴かれ虚実ない交ぜのガセネタをネットに撒かれている。批判は御結婚後の生活費や約一億五千万円と言われる支度金にまで及び「辞退しろ」の大合唱であり「残酷物語」としか言いようがない。私なら怒って訴訟に及ぶ。最近ネットの中傷で自殺に追い込まれた女子プロレスラーの遺族が訴え出て、書き込んだ張本人が特定できるようになったらしい。小室家もそれをやれば良いのに、と思うがそれはさて措く。「小室氏は説明不足だ」と散々言われて、二十八ページに及ぶ説明文を発表したら今度は「長すぎる」と批判。一体どうしたら良いのか、と私が諸先輩に言うと「辞退すれば良いのだ！」とすごい剣幕で叱られる。

世上「夫婦喧嘩は犬も食わない」と言われる。これは「犬も食わないからましてや人間が食ってはいけない」ということである。私事だが、若い頃、社内の既婚女性が夫と喧嘩して別居した。女性の上司が味方して何くれとなく世話をやき激励して、「あんな男とは早く別れなさい」とアドバイスをしていた。ところがなんと二人はよりを戻してしまったのだ。上司はばつが悪いし、その夫婦両方と人間関係が悪くなってしまった。そう、犬も食わないものを食ってしまったからだ。夫婦喧嘩だけではない。四十年前○○支店にいたとき妙齢の妖艶な独身美女がいた。男性関係がお盛んで、陰で△軽女と言われていた。そこへ本社から独身男性エリート社員が転勤してきた。妖艶美女は早速アプローチしたが、周囲はこのエリートに「あの女は要注意だよ」などと野暮な忠告はしなかった。めでたく華燭の宴と相成ったが、爾来幸せに暮らし添い遂げている。夫婦喧嘩だけでなく「男女交際は犬も食わない」のだ。夫婦の幸不幸は夫婦の数だけあってさまざま、結婚は多分に運であり賭けである。御結婚問題で保守派尊皇家が先頭を切ってネトウヨを牽引して猛反対しているが、もしお二人がお幸せに添い遂げたら、なんと言うのだろうか。振り上げた拳の持って行きようがないことほど滑稽なものはない。

話はかわるが某尊皇家が愛国月刊誌に「もし私に娘がいて小室が求婚してきたら『稼ぎができてからもう一度来い』と追い返すところだ」と書いている。ご立派だが、現実に追い返されたら二人が黙って従う訳がないではないか、「お父さん！　何言ってんのよ！　だったら結婚式に来ないで」と怒鳴りつけられ家に居場所がなくなるのがせきの山である。

さらに眞子内親王殿下のケースでは「お父さまだってお母さまだって、大学で見初めた人と結婚したでしょう。私は同じ事をしているだけでしょ」と反駁されるだろう。秋篠宮殿下は昭和天皇の諒闇中にもかかわらず留学中の英国から突然帰国して婚約を発表した。この拙文の第一部で「皇族は国民でも個人でもなく憲法に保護もされないが制約もされない御存在である、と結論を出すべき時が来ているのだ」と書いた。

しかし今回の騒動の三十年前に同じようなことが起こっていたのだ。この時はお相手が文句の言い様がない家系だったので事なきを得たが、本質的な問題は先送りされたのだ。そして今回桜田淳教授が言うところの「議論の怠惰の付け」を返すどころか溜まりに溜まって問題が噴出してしまったのだ。

昨秋、佳子内親王殿下は記者会見で「姉個人としての判断を尊重したいと思います」と発言されている。皇族は個人であるとはっきりおっしゃっているのだ。さらにこの発言に先立つこと平成二十八年八月八日の陛下の譲位のテレビ放送では「私が個人的に今まで考えてきたことを話したいと」と語っていらっしゃる。これは天皇の人間宣言ならぬ個人宣言であり、しかもあのテレビ放送の中で「私」という言葉は十二回、「自分」は二回、合計十四回も「ご自分個人の気持ち」を語られている。であるから孫娘さんがご自分の結婚に「個人の気持ち」を主張するのは当然である。もはや天皇皇族は個人なのだ。桜田淳教授は「もはや一刻の猶予もあるまい」と指摘したが時すでに遅し。事ここに至る。革命が起こってボルシェビキにより皇帝皇族から庶民に引きずり下ろされたロマノフ家と違い、日本では天皇自ら皇族を率いて個人に降りてこられたのだ。

さて、天皇陛下も秋篠宮殿下も宮内庁もそろって「国民の理解」を得られるよう努力云々を言っている。数ヶ月前にある尊皇団体の機関誌に某皇室研究家が書いている。

「皇族とのご結婚においては国民から歓迎される状況といふことを恐れ多いことですが、皇族は承知しておかねばならないと思います、多くの国民が普通に祝福できる環境ではない場合それは無理であることをご理解いただかねばならないのです」。

しかし、これでは国民の祝福賛成同意理解が皇族の御結婚の前提となるのではないか。これこそ皇族の尊厳を冒しかねない考えである。皇室のことに「国民の理解」を持ち出してはならない。これこそ現行憲法第一条を補強し皇室の権威を蔑する考えである。明治以降あまたの姫宮が降嫁したが国民の理解が得られたのだろうか。そんなこと考えた国民は一人もいなかったのではないか。いったいいつから皇族の結婚に国民の理解が必要になったのか。答えはここにある。

日本国憲法第一条、天皇は、日本国の象徴であり日本国民統合の象徴であつて、この地位は、主権の存する日本国民の総意に基く。

天皇の地位でさえも国民の総意に基くのだから、皇室のあれこれに国民が指示するのが当たり前になっており、内親王の降嫁も当然国民の理解が必要なのである。腹立たしいが仕方がない、憲法にそう書いてあるのだから。しかし私は日本国憲法第一条を認めない。正しくは「我が国は万世一系の天皇これを統治し、この地位は三大神勅による」のであると私は思う。しかし日ごろ自らを「臣民」などと称している尊皇家たちが、降嫁についてあれこれ上から目線で批判し、お二人とその親を口を極めて罵っている。なぜだろうか。要は彼ら「臣民」の脳髄に、日本国憲法第一条の「この地位は国民の総意に基く」という文言が刷り込まれてしまっている、つまり現行憲法に毒されてしまっているからである。

そもそも国民の理解をどのような方法で確認するのか、まさか新聞社に依頼して輿論調査でもするのか、それともネットでアンケートでもとるのかと私は問いたい。ところが、最近驚愕しがっかりしたのは、敬愛する櫻井よしこ氏が月刊誌で「週刊朝日が行った眞子様のアンケートに（二月二十三日～三月五日、回答者一万三千人）では九十八％が反対と言っている」と指摘しているのだ。皇室関係のオピニオンリーダーとも言うべきT氏にいたっては「ネットのコメント百に一つも賛成はない」と言っている。ほう！　ならば女性宮家についてのアンケートで、六割以上が女性宮家どころか女性天皇女系天皇に賛成しているではないか。さらに言わせていただく。次期天皇もアンケートやネット輿論で、つきつめれば選挙で決めれば良いではないか。

私はT氏を尊敬し著書も読み講演会もしばしば行っているが、このところ講演では小室氏を口を極めて批判し、聴衆はそれを聞いて心地良くなり一種異様な盛り上がりを見せている。御結婚にそんなに反対ならば、同憂の士を募ってリコールもどきの結婚反対署名活動でもはじめたら良いのではないか。愛知県知事リコールではクラウドファンディングとやらで五千万円近く集まったそうだ。今回の御結婚はそんなローカルなものではない。軽く一億円は集まるだろう。

T氏はまさに御結婚反対論者のリーダーとなっている。T氏はいったい何を目指しているのだろうか。T氏の先導でネトウヨが盛り上がり世論を動かして宮内庁ひいては天皇陛下や秋篠宮殿下を動かし、結婚が破談になったとする。T氏は目標を達成できたとばかりに、凱歌をあげるのだろう。眞子内親王殿下が生涯をかけた恋が破れ悲嘆にくれている最中に、お赤飯でも炊くのだろうか。内親王は破談の後、傷心甚だしく、仮に心の傷が癒えたとしても一体誰が小室氏の後釜にしゃしゃり出てくるのだろうか。当分、いや一生結婚できないであろう。四十歳を過ぎ長和殿でお手を振る憂色濃い内親王殿下を拝して、T氏は心が痛まないのだろうか。ネトウヨ愚民が面白がって反対するのはわかる、反天連や共産党が「やれやれえ」と喜んで反対を唆しているのもわかる。しかし本物の尊皇家のT氏は反対していったいどうしようというのか。

T氏は大活躍しておりそのうち園遊会に呼ばれるだろう。会場でT氏を認めた眞子内親王殿下は、自らの生涯をかけた恋路の邪魔をしたT氏にご会釈を賜るのだろうか。きっと分け隔てなく賜るのだろうが、私は釈然としない。そもそも根本的なことだが、内親王が降嫁して民間人となり、その後結局離婚したとする。それが現下の皇室の危機つまり皇統断絶問題について、いささかでも影響するのだろうか。なんの関係もないではないか。T氏もマスメディアも「圭殿下」が誕生する、などと吹聴しているがあり得ない。

御結婚問題はこの秋までに結論がだされるという。その時点では女性宮家問題は未解決、つまり皇室典範は改訂されていないから、眞子内親王殿下は、紀宮清子内親王殿下と同様にまったくの民間人になる。女性宮家などという愚かな制度はできる訳がないが万一できてしまい、眞子内親王殿下がその第一号になるのはあまり望ましいことではない。今のうちに降嫁されれば、その後女性宮家ができても、妹君の佳子内親王殿下が宮家を作る事はあり得ない。なぜなら姉が民間人で妹が宮家というのは考えられないからだ。三笠宮家系統の三女王も可能性はなくなる。内親王が民間人になり女王が宮家として残ることはあり得ないからだ。そうすると女性宮家推進派のターゲットは敬宮愛子内親王お一人になる。しかし両陛下が猛反対されることは目に見えている。つまり、今のうちに眞子内親王殿下が降嫁することは女性宮家構想なるものを大きく後退、いや潰せることになる。私は眞子内親王殿下がいち早く降嫁されることを望む。ついでだが、万が一に女性宮家ができた場合、配偶者は小室圭氏だろうと黒田慶樹氏だろうと不可である。飽くまで旧宮家の男系男子でなければならない。T

氏も週刊誌もそこを分かっていて、意図的なのか混同している。

佳子内親王殿下も適齢期である。しかし姉宮のこのメディアリンチを見るに、ご本人はともかくお相手男性が臆してしまい、それこそ辞退してしまうのではないか。三笠宮系の三女王も同じである。品のない言い方だが、どんな男でもこのリンチを見ればビビってしまうのではないか。

さらに、あと数年すれば悠仁親王殿下は大学に進学される。好きな女性ができるかもしれない。しかし、殿下にお声をかけられたら、まともな女性ならば逃げ出すだろう。「降嫁」であれだけのリンチなのだ、「入内」となったらその数倍のリンチを覚悟しなければならない。三十年以上前、今上陛下のお相手探しが始まったが、候補者と目されたご令嬢はみな蜘蛛の子を散らすように逃げ去った。そして誰もいなくなってしまったことは周知の事実である。上皇后美智子さまも海外まで逃げられたそうである。今回のこの騒動を目の当たりにして、その傾向は一層強まるだろう。悠仁親王殿下は一生独身を余儀なくされる可能性が極めて大きくなったのだ。

我々はまさにコムロ禍で皇統断絶を目の当たりにするかも知れない。T氏ら反対派は意図せず、コムロ禍を煽り、皇統断絶に一役買っているのである。さらに付け加えると、蜘蛛の子を散らして逃げない女子大生の中には中国や韓国からの留学生がいるのではないか。あり得なくはない。習近平の孫の習菲菲さんやら江沢民の孫の江麗君さんやら韓国の李王朝の直系子孫の李槿恵さんならば臆することなく交際に応じるかも知れない。将来悠仁天皇が一般参賀で長和殿にお立ちになるとき、傍らの皇后陛下は旗袍やチマチョゴリを纏っている可能性もゼロではない。もちろんそれでも生涯独身よりは遙かにマシ。男系男子を産んでいただければ正統な皇統が続く。私は叫ぶ「天皇陛下万歳！　皇后陛下マンセー！」

（『保守』令和三年四月号）

血に飢えた国民が喰いちらす皇室

一、秋篠宮家の憂鬱

明治二十二年大日本帝国憲法発布と同時に制定された皇室典範の解説書「皇室典範義解」（伊藤博文著）の前文に曰く、「皇室の家法は祖宗に承け子孫に伝ふ。既に君主の専意に制作する所に非ず、亦、臣民の敢えて干渉する所なりと謂はん乎。」とある。要は下々（しもじも）は皇室のことに喋々喃々（ピーチクパーチク）干渉してはならない、ということだ。ところがこの数年間臣民は干渉どころか、皇室とりわけ秋篠宮家へ批判悪口雑言罵詈讒謗の嵐だった。とりわけこの一年は秋篠宮家にとっては受難の一年であっただろう。

攻撃している奴らが反天連（反天皇制運動連絡会）だの共産党ならまだしも、尊皇家や保守を自称しているのだから始末におえない。

思い出したくもないが小室氏批判の嵐のほんの一端だが振り返ってみよう。

某有名皇室評論家のT氏などは、小室氏をして「穢らわしい」と断じ、名前を言うと自分の口が汚れるからといってKKと呼んでいた。さらに「KKがお濠を渡る度に日本国の運気が下がる」と言い「あの母子を逮捕しろ。遺族年金詐取だ」と叫んでいた。T氏は小室圭氏を寄生虫とも呼んでいる。寄生虫だから穢らわしいのだろう。しかし今どき人間に「穢」らわしいなどという言葉を使って良いのだろうか。ご自分の「思い人」を「穢らわしい寄生虫」と呼ばれた内親王殿下やご両親のお気持ちはいかばかりか。T氏は大活躍しており、そのうち宮中晩餐会とまではいかないが園遊会には呼ばれるかも知れない。秋篠宮殿下はT氏にどんなお顔で接するのだろうか。かなりの忍耐力を要することは想像に難くない。

評論家S氏などは令和三年十月六日に東京地方検察庁に小室佳代さんに対しての告発状を提出している。理由の一つは、亡き夫の遺族年金詐取だそうだ。佳代さんは死別の八年後にX氏と婚約した。だが佳代さんはX氏から約四百万円に上る資金援助を受けながらも遺族年金を受給していたという「不正受給疑惑」である。二つ目は佳代さん本人が平成十八年頃に「適応障害」を理由に休職、一年半にわたり傷病手当金を不正受給していたというものだ。地検は告発状を返却（不受理）するもS氏はさらに十二月二十四日に再告発している。この告発は眞子様の精神に激甚なダメージを与えたようだ。尊皇家C氏は「眞子さまはあの母子に生命保険をかけられて殺される」とネットに書き込み、尊皇家D氏に至っては「詐欺師と馬鹿娘の結婚」と断じ、「どこが悪い、どこからでもかかってこい」と息巻いている。皇室評論家Ｄ女史は同じく尊皇家で名高いジャーナリストＥ氏との対談で、小室母親を詐欺師呼ばわりしている。若手学者尊皇家のＦ氏に至っては「亡国への道だ」と嘆き、保守業界で著名な大学教授Ｇ氏は「眞子さんはあんな男・不良・与太者と！　秋篠宮はまともな皇族教育ができていない。娘を追い出して尼寺にでも預けろ。国体を穢す」と講演会で叫んでいる。同年十月上旬東京の繁華街で約百五十人の若い連中が「敬愛できる皇室……特権濫用疑惑調査、皇室費（血税）収支公開」というプラカードを掲げてデモ行進をする始末である。某有名皇室評論家のＴ氏らが煽りに煽った結果がこのデモである。Ｔ氏らがかねて望んでいた「不敬罪復活」が実現したら、反天連より先に彼ら尊皇家自身が「御用」になるだろう。新進気鋭の若手歴史家Ｈ氏は自らが制作したネット動画で「複雑性ＰＴＳＤだそうですがこの発表を見ると国民の批判のせいで私は病気におなりあそばされていると言っている。国民に対する逆批判となり国民は怒りをさらに深めており反発し批判の声が大きくなっている。また、医師に発言させているが『周囲の人々の暖かい見守りがあれば回復する』、つまり『批判するな黙れ』と言っているとまったく同じであり、激しい憤りを感じる。ご病気がここまで深刻になってきたのは宮内庁の怠慢、愚鈍、拙劣さによるものである。小室眞子さん二人で会見するそうだが、小室氏は一人で又は母親同席で疑惑に対して徹底的に時間無制限で会見しなければならない」と叫んでいる。まさにリンチではないか。

驚くのは揃いもそろって皆皇族に対して極めて傲岸ともいえる上から目線で批判していることだ。一体ご自分は「なにさま」だと思っているのだろうか。そうか、国民さまなのだ。新憲法下では国民さまが一番偉いのだ。その後悠仁親王殿下の高校ご進学問題があったが「皇室特権を行使（要は裏口入学）」という根拠無い言いがかりをつけている。そして小室氏のNY弁護士試験再度の不合格である。本稿執筆の四月末時点ではこの話題で持ちきりであり、前述の刑事告発のS氏などは、この不合格がよほど嬉しかったのか大興奮している。彼のネット放送を一部紹介しよう。「NY漂流の責任はA宮殿下にある（村田注：以下同じ、S氏は皇族をイニシャルで呼ぶ）。放り出してツケを国民に回している。政府が払っている。あの二人は血税カップルだ。わがままに公金がダダ漏れである。M子さんは生まれて三十年、一体何を学んできたのだ（降嫁したとはいえよくそこまで言えるものだ）、明らかに使っている金は公費から、異常事態である。A宮家の家計の範囲でやるべきである。親であるA宮殿下の教育の結果だ、反論できるならして見ろ、できるわけがない（宮様に喧嘩をふっかけているのだ、S氏はよほど高貴なお方に違いない）。こんな宮家は要らない皇室も要らない、とみんな言っている（自分は言ってないと言いたいのだろうが、魂胆は見え透いている）。A宮家に誠意が感じられない（誠意を示せ、というのは恐喝の常套句である）。伊勢神宮に一体どういう風に奉告するのか。真摯に神前において考えるべきである（伊勢神宮には皇嗣職就任奉告であり、降嫁した内親王の配偶者の職業について祈る場ではない）。宮家に筋の通った目標がない。公務に一生懸命取り組むのは当たりまえ。御自身の振る舞いはどうなのか（この方自分は上皇か天皇のような高みからものを言っている）。国民の心がボロボロ崩れている（その発想には驚くしかない）。M子さんは身の丈にあった暮しではないのか、『工夫を重ねて』と言ったが、公金をどうやって引っ張ってくることしか考えてない（なんたる品のない言いようか）。A宮殿下は無責任、何やっているんだ。言っていることとやっていることが乖離している。本当の問題は皆A宮殿下の姿勢にある」。

いやはや戦前の尊皇家がこれらの発言を聞いたら激怒するに違いない。

指桑罵槐（シナの兵法三十六計）の喩え通り小室氏を罵倒し眞子さまを批判し、秋篠宮殿下その人を痛烈に批判いや罵倒している。秋篠宮皇嗣殿下は令和三年十一月のお誕生日記者会見で、「それは、どういう意図を持って書いているのかは、それは書く人それぞれにあると思いますけれども、ただ、今そのネットによる誹謗中傷で深く傷ついている人もいますし、そして、またそれによって命を落としたという人もいるわけですね。やはりそういうものについて、これは何と言いましょうか、今ネットの話をしましたけれども、誹謗中傷、つまり深く人を傷つけるような言葉というのは、これは雑誌であれネットであれ私としてはそういう言葉は許容できるものではありません」。このように苦渋を語っていらっしゃる。

二、尊皇家ではなく玩皇家

このように「馬鹿娘を育てた馬鹿親」批判が燃えさかっている。次は婚姻を認めた「伯父」

を「馬鹿伯父」呼ばわりし始めるだろう。実は彼ら国民（愚民）にとっては天皇も皇族も尊崇の対象ではなく、愛する対象でありアイドル歌手の様なものなのだ。気に入った歌を歌っていれば大好きで玩ぶが、自らの意に添わないと（例えば気に喰わないタレントと結婚したら）弊履のように捨てて罵り始める。歌手一年総理二年皇族○年の使い捨て。自称尊皇家は居酒屋で「○○天皇は偉かった（△△天皇よりずっと偉いと言わんばかり）、○○内親王は素晴らしい、御結婚相手も素晴らしい（△△内親王はだめだ、けしからん）」と品評会をやっている。こういう手合いは尊皇家ではなく玩皇家である。小室さん眞子さまがNY渡航直後の週刊誌の見出しに「小室ロス症候群」とあった。ロサンゼルス疑惑の三浦和義が死んだときに、三浦ロス症候群と言われたが、本来はペットロス症候群である。皇室が玩具になってしまったことを如実に物語っている。三島由紀夫先生は「開かれた皇室はその実大衆に弄ばれるだけであり、結局飽きて捨てられる」と警鐘を鳴らしていた。皇室は今や大内山から転がり落ちて大衆の弄ぶ、いや蹴り回すボールになってしまった。

ひと昔前までは弄ぶのは週刊誌だけだったが、今回の騒動で国民（大衆・愚民）は鬱憤晴らしに嫉妬交じりで皇族を口汚く批判する快楽を覚えたのだ。この麻薬の愉楽は忘れられない。しかも国民（大衆・愚民）はネットで武装して匿名で皇室皇族をデマの弾丸で狙撃するようになってしまった。一億総小姑どころではない、一億総武装愉快犯である。そして蹴り回すボールは、佳子内親王殿下のお相手、悠仁親王殿下の大学進学、敬宮殿下のお相手、極めつけは悠仁親王殿下のお相手、と事欠かない。国民（愚民）は舌なめずりし手ぐすね引いて待っているのだ。

三、皇統断絶の危機

こんな状況で佳子内親王殿下もほかの姫宮さま方も、結婚記者会見ができるだろうか。旧宮家復活などと言っている所謂皇室評論家自らが今回激しく国民（愚民）を煽ってきたが、復活候補になった旧宮家にどんな誹謗中傷が浴びせられるだろうか。さらに悠仁親王殿下のお相手候補に対し、どんな凄まじい誹謗中傷が国民（愚民）から浴びせられるのだろうか。悠仁親王殿下は結婚できず、生涯独身。私は悠仁親王殿下が嫌気がさして皇籍離脱するのではないかと危惧したが、麗澤大学の八木秀次教授も「即位拒否にもつながりかねない。」と警告している（産経新聞令和三年十一月二十八日「開かれた皇室の岐路・眞子さん結婚と皇室の岐路」）。

八木教授や私が平成二十八年に危惧したとおり、退位（譲位）の自由を認めることにより、即位の自由（拒否）も視野に入ってきてしまったのである。皇位は一気に不安定になってきた（有名皇室評論家T氏は小室氏を「寄生虫」と蔑んだが、自らの飯のタネ（寄生する宿主＝皇室）を亡ぼしてどうする）。そんなことあるわきゃない、と言う人もいるだろう。しかしあり得ない退位を、政府宮内庁の頭越しに、懇意なＮＨＫ記者にリークして、ビデオで大衆の世論を喚起して退位を実現したことは記憶に新しい。

悪口雑言を浴びせている彼らは「我々は皇室を批判していないし弄んではいない。憂いて警告を発しているのだ」と言うだろ。私は思い出す。昭和四十年代全学連全共闘は「革命ごっこ」をして楽しんでいた。今、まさに「尊皇ごっこ」をやっているに過ぎない。真の尊皇家ならば黙って静観し祈るべきなのだ。数年前香港人男性留学生が言っていた。「国民が皇室を敬い皇室が国民を慈しみ両者渾然一体となっているこの日本という国が羨ましい。上下心を一つにして、お互いに愛し合い睦み合っている様だ」。

韓国人女子学生も語る「一般参賀終わって皇居から降りてくる、みんなニコニコしている、皇室への敬愛を感じるし、皇族も心から国民の幸せを祈っているように見える。わが国にはない。嫉妬すら感じる」。

しかし、今や上下あい睦むどころか正反対の状況になってきている。先日ワイドショーを見ていた愚妻が言った。「降嫁一時金一億数千万円辞退したって言うが、両親からも祖父母からも桁違いのお祝い金をたっぷり貰っているに違いない。それもこれもみんな私たちの税金だから、私にも言う権利があるわ」。私は愚妻を殴りつけたかったがかろうじて堪えた、事実である。反天連や共産党、近隣諸国はさぞかし喜んでいることだろう。

四、元はといえば「開かれた皇室」が端緒

いったいなぜこのように、国民（大衆・愚民）が皇室を弄ぶようになってしまったのか。あ

の菅直人が敬仰してやまない左翼政治学者の松下圭一は、皇太子殿下御成婚所謂ミッチーブームに際して、「大衆天皇制」と題して「天皇の正統性の基礎が『皇祖皇宗』から『大衆同意』へと変化したと認定しうる」と指摘している（中央公論昭和三十四年四月号。松下圭一は丸山真男の弟子であり、マルクスを使わないマルクス主義者と悪名高く、私が微力ながら退治しようとしてきた「自治基本条例」の生みの親である）。

残念極まりないが、まさにその通りである。天孫降臨の天壌無窮の神勅に由来する天皇の神性と正統性は、GHQの神道指令と昭和二十一年元旦の詔書の「朕ト爾等国民トノ間ノ紐帯ハ、終始相互ノ信頼ト敬愛トニ依リテ結バレ、単ナル神話ト伝説トニ依リテ生ゼルモノニ非ズ」によって否定されてしまった。そして民主化・開かれた皇室は三島由紀夫先生の言うとおり週刊誌天皇制になり、常に国民（大衆・愚民）の理解を得なくてはならないご存在になってしまったのである。私は今回の騒動で再三再四指摘してきたが、皇族の結婚にどうして「国民の理解」（つまり大衆同意）が必要なのか。「その地位は国民の総意に基づくのだから、結婚も『総意・同意・賛同・理解』が必要なのだ」と言わんばかりの所謂尊皇家の居丈高な御結婚批判を見るとき、残念ながら松下の指摘は正鵠を射ていると認めざるを得ない。今回の御結婚に所謂尊皇家や評論家を筆頭に「大衆は同意」していないのだから。

八木教授は続ける「眞子さんが皇室離脱直後に結婚に反対する国民やマスメディアに、夫の立場に立って私的な言葉を向けたことは前例が無い。開かれた皇室は皇室と国民が同じ視点に立つということを意味する。開かれた皇室の帰結である」。

「開かれた皇室はマスコミの造語だが、皇室の民主化は小泉信三（終戦後占領下の東宮御教育常時参与）の主導だった」。

終戦後小泉信三は皇太子（現在の上皇陛下）に、昭和天皇のご人徳（聖徳）を語り、天皇皇族の「人格」こそ皇室ひいては国家の安泰の基盤なのだ、と諄々と教えたという。当時はまさに皇室の危機国体の危機だったのだが、外に全国巡幸して疲弊した国民を励まし、涙と万歳で熱狂的に歓迎される父天皇を見て、そして内では小泉信三から「人格こそ一番大切」と懇々と諭された上皇陛下が、文句のない人格者になられたことはご存じの通りである。そして松下圭一のいうところの「大衆にとってスターの聖家族に」なったのだ。しかしこの開かれた皇室は即週刊誌天皇制となり、前述の通りそれを批判したのが三島由紀夫先生である。三島先生は昭和四十三年十月の早稲田大学でのティーチインで「天皇と国民を現代的感覚で結びつけようと言うことを小泉信三がやろうとして間違っちゃったことだと思うのですよ。小泉信三は結局天皇制を民主化しようとしてやりすぎて週刊誌的天皇制にしちゃったわけですよ。そしてけっきょく国民と天皇との関係を論理的に作らなかったと思うのですよ。というのはディグニティ（威厳）をなくすることによって国民とつなぐという考えが間違っているということを小泉さんは死ぬまで気がつかなかった」と嘆いている。（『文化防衛論』ちくま文庫）

三島先生は蹶起自決の一週間前に文芸評論家古林尚氏と自宅で対談（最後の対談となった）

し、「ぼくはむしろ天皇個人にたいして反感を持ってゐるんです。ぼくは戦後における天皇人間化といふ行為を、ぜんぶ否定してゐるんです」「小泉信三が悪いとっても悪いよ。あれは悪い奴で大逆臣ですよ。といふのは今の天皇制危機があるとすればそれは天皇個人にたいする民衆の人気ですよね。やっぱりご立派だった、あのおかげで戦争がすんだといふ考へ、それにのっかってゐる人気ですがぼくはそれは天皇制とはなんら関係無いと思ふんです」「さういふ個人的な人格といふのは二次的な問題ですべてもとの天照大神に立ちかへってゆくべきなんです。大嘗祭と同時に天照大神と直結しちゃふんです。ああいふ非個人的性格といふものを天皇から失はせた、小泉信三がそれをやったといふことが戦後の天皇制のつくり方において最大の誤謬だったと思ふんです。そんなことをしたから天皇制が駄目になったとぼくは思ってゐるんです。小泉信三は僕のインパーソナル（非個人的・人格とは関係ない言わば神格）な天皇といふイメージをめちゃくちゃにしたやつなんです」。

皇室は開かれて、威厳を失い、インパーソナルからパーソナル（個人的・人間的・非神格的）になり、家庭人としても極めて人気の高い人格者となり、その姿によって大衆の同意・支持を得る。避難所で被災者に膝をついて慰め励ます人格者、これ以上の「大衆の理解・同意」があろうか。言い換えれば常に国民（大衆・愚民）の理解を得なくてはならないご存在になってしまったのである。

私は得心した。小室氏が悪いのではない、眞子さまが悪いのでもない、教育した秋篠宮殿下が悪いのではない。御結婚に「国民の理解」をもとめた天皇陛下が悪いのではない。小泉信三が悪いのでもない。戦争に負けなければ、占領されなければ、小泉はそんなことはしなかっただろう。皇室を存続し国体を護持するために、彼なり真剣に考えた末、皇太子に教育したのだろう。誰が悪いのでもない、戦争に負けて占領されたことが唯一無二の原因なのである。

五、対策はないのか

戦後すぐにGHQとそのお先棒を担ぐ民主人士等の手によって日本中に民主化の嵐が吹き荒れた。皇室も其の例外ではあり得ず、十一宮家の臣籍降下など皇室は嵐の渦中となった。三笠宮殿下までが「民主主義に適応した皇室像の確立」とか「日本の民主化は皇室から」とおっしゃり始めた。この行き過ぎた民主化について、昭和天皇は歯止めをかけたかったそうであり、後に反省を求めている。皇室財産は戦後直ちに凍結され、皇室の諸費用すべて国会の審議を経て決められることになった。まさにすべての財産を失ったのである。

戦前は天災等による民の窮状に対して、天皇は内帑金（御手元金）を下賜して救ってきたという歴史がある。昭和二十四年には、昭和天皇は宮内庁長官に「救恤金などの額も国会で決められているが不自由である。ああいふお金を自分に使うのではなく民の為に自由に使いたいので、昔の様にして欲しいと吉田首相に訴えた」と語られている。ついでだが、戦前は皇族会議があった。戦後は皇室会議となり、政治家が主要メンバーになり、皇族代表が一名選出されるだけとなった。これに対して昭和天皇は「戦前のような親族会議として自分が議長になるほうが良いのだが」と宮内庁長官に語っている。しかし、長官は消極的な発言しかできなかった。その結果、土井たか子や赤松広隆などの真っ赤な政治家が皇室会議の議員になるという椿事が起きてきた。昭和天皇のご懸念は正しかったのである。

皇室民主化の極めつけが不敬罪の廃止である。読者周知と思われるが、不敬罪という法律があったわけではなく、刑法の一部に該当する項目があったのだが以下の通り削除されたのである。

刑法第二編第一章は、かつては存在していたが、昭和二十二年（一九四七）に削除されている。

刑法（明治四十年法律第四十五号）

第一章　皇室ニ對スル罪

第七十三条　天皇、太皇太后、皇太后、皇后、皇太子又ハ皇太孫ニ對シ危害ヲ加ヘ又ハ加ヘントシタル者ハ死刑ニ處ス

第七十四条　天皇、太皇太后、皇太后、皇后、皇太子又ハ皇太孫ニ對シ不敬ノ行為アリタル者ハ三月以上五年以下ノ懲役ニ處ス　神宮又ハ皇陵ニ対シ不敬ノ行為アリタル者亦同シ

第七十五条　皇族ニ對シ危害ヲ加ヘタル者ハ死刑ニ處シ危害ヲ加ヘントシタル者ハ無期懲役ニ處ス

第七十六条　皇族ニ對シ不敬ノ行為アリタル者ハ二月以上四年以下ノ懲役ニ處ス

さらに刑法三十四章名誉毀損は親告罪であり第二百三十二条に「この章の罪は告訴がなされなければ控訴を提起することができない」とし、さらに第二項に「告訴をすることができる者が、天皇・皇后・太皇太后・皇太后又は皇嗣であるときは内閣総理大臣が代わって告訴をおこなう」とある。

つまり皇族が名誉毀損で国民を訴えたい場合、首相が代わって訴える（告発する）ことができる、としている。では実際に告訴できるのであろうか。

この点に関して政府の見解は次の通りである。

「皇族という御身分の方が一般の国民を相手どって原告・被告で争われるというようなことは、これは事実問題としては考えさせられる点が非常に多いですから、まあありないと思います」（昭和三十八年三月二十九日、衆院内閣委員会での瓜生順良宮内庁次長の答弁）。

つまり、あり得ないと言っているに均しいのだ。平成十年代から二十年代、時の東宮妃に電機通信大学の西尾幹二教授始め保守業界の多くが猛烈な所謂雅子さまバッシングを行った。そのとき、首相は妃殿下に代って告発すべきではなかったのか。今回、秋篠宮家に対して猛烈なバッシングがされているが、今こそ首相は代って告訴すべきではないのか。それを怠ってきたから、今日に至るも皇室はサッカーボールのように蹴り回されて、サンドバッグのように叩かれ続けて、どのように侮辱されても黙ってじっと耐えるしかないのだ。

さて、皇室はいったいいつから「開かれた」のだろうか。その濫觴はもちろん昭和三十四年四月の御成婚前後からの所謂ミッチーブームである。昭和三十二年には「週刊女性」、三十三年に「女性自身」が創刊され、皇室は芸能人と同じく国民（愚民）の玩具になったのである。しかし私は、皇室が開かれたのはそれだけではないと思う。昭和三十二年に入江相政氏が現役の侍従でありながら「侍従とパイプ」という随筆を上梓した。その後、侍従長などの要職を務めた人達が、退官後に手記や日記を出版するようになり、「菊のカーテン」の内側が露わにされるようになったのである。私はこのことが、皇室が開かれる極めて大きな要因だったと思う。位人臣を極めた高位高官が在位在職中に知り得た秘密を、退官後だからといって書き散らして良いものだろうか。

私事だが二十年ほど前、海上自衛隊の護衛艦を見学するために横須賀駅からタクシーに乗った。運転手が元海上自衛官とわかり雑談していた。彼が潜水艦乗りだったとわかったので私は「潜水艦って連続して何日間潜っていられるのですか」と聞いたところ、退官して十〜二十年は経っているだろうその運転手は「秘密です」と表情をこわばらせて黙りこんでしまった。退官時の秘密遵守の約束を守っているのだ。私は感心した。

平成四年十月四日、宮内庁新浜鴨場で小和田雅子さん（当時）とデートすべく、東宮殿下は赤坂御所をワンボックスカーの後部座席に身を潜め毛布をかぶって出御された。警衛からマスコミに情報が流れるのを防止するための措置だった。私はこれを聞いて情けなかった。日本の皇太子ともあろうお方が泥棒みたいに毛布をかぶって門を通過する！　情けない。宮内庁の警衛はそれほど情報が守られないのか。防衛省だったら大変なことになるだろう、女性週刊誌が売らんがために毎週毎週、揣摩、憶測、根拠皆無の愚にもつかない皇室記事を書いているが、そのかなりの部分は宮内庁職員のリークによるものと思わざるを得ない。彼ら下々（しもじも）の職員にしてみれば、「侍従長などのお偉い人が、皇室のプライバシーを書き散らして小遣いを稼いでいる。自分たちが少し漏らしてどこが悪い」と思っているに違いない。

平成十八年七月、日経新聞により所謂「富田メモ」なるスクープが報じられた。「昭和天皇が靖国神社の所謂A級戦犯合祀に不快感を持たれた」という内容で、実に衝撃的だった。このメモの当否についてはさて措くが、富田朝彦（宮内庁次長～長官）は厖大なメモを遺していた。彼は生前「死後は焼却する」ように家族に言っていたという。つまり、墓場まで持って行くつもりだったのだ。ところが、遺族は焼却どころかあろうことか日経新聞に売ってしまったのだ。

潜水艦の元乗務員は艦の性能という職業上知り得た秘密を墓場まで持って行くのだろう。しかし宮内庁の高官はいかに。

「文藝春秋」令和四年五月号に「愛子さま二十歳のお覚悟」と題して齋藤智子というジャーナリスト（元朝日新聞記者）が書いている。その文中に「雅子さまが決定的に体調を崩すトリガーとなったのは、メキシコ大統領夫妻が平成十五年秋来日した際、天皇陛下（現上皇）が一人ずつ家族を紹介した場面で、雅子さまお一人が紹介されなかったことだ」と記述している。その後、帯状疱疹で入院、長い療養生活に入ったということだ。この記事に対して宮内庁は「雅子さまだけを外してなどということはあり得ない」と文藝春秋社に抗議した。もちろん、上皇陛下ご自身が激怒されたことは想像に難くない。ところが、文藝春秋社側は「複数の証言があり、記事には自信を持っている」と開き直っている。結局、いつものことながら宮内庁ホームページに「該当記事は事実ではなく誠に遺憾であります」と掲示されて一件落着だろう。今回こそは、宮内庁は名誉毀損で告訴すべきなのだ。慰藉料を勝ち取ったら、それは被災者や福祉関係に寄付すれば良い。仮に敗訴しても、政府宮内庁から記事が告訴されたと知り「複数の証言者」は慄然とし、宮内庁職員関係者は粛然として、その後は少しは口が堅くなるだろう。しかし今や絶滅寸前の活字メディアを牽制しても始まらない。無数の個人放送局（ユーチューブ）が放送法など無視して、揣摩、憶測、根拠皆無の嘘八百で皇室を誹謗中傷し続けるだろう。それに打つ手はまったくない。血に飢えた国民愚民大衆に皇室は食い散らかされてしまうだろう。悲しい。嘆かわしい。それもこれも「誰が悪い」のでもない。繰り返すが日本が戦争に負けたからなのだ。

大日本帝国という国は太平洋の波間に沈んでしまったのだ。今我々が見ている皇室は沈んだ太陽の照り返しに過ぎないのだ。

（『保守』令和四年四月号）

非難覚悟で敢えて叫ぶ、旧宮家復活養子縁組に反対！

いきなり私事で恐縮だが、二十年ほど前の我が家の年末の会話である。夫婦でジャンボ宝くじを買うことになった。三億円が当たったらどうする、という話になり、私が「高級車ベンツを買う」と言ったところ家内が、「車なんて駄目、もったいない！」と怒りだし口論になった。当時小学生だった娘が言った。「当たってからケンカしたら」。

本稿は、その宝籤論争に似ている。旧宮家復活養子縁組の実現は宝籤三億円当たる確率より低い。賛成も反対も意味がない。そもそもあり得ないのだから。今、我が業界では旧宮家復活養子縁組すべし！　と叫んでいる御仁が多い。私は「憲法改正し自衛隊を軍に」と言われれば即座に「三百年はあり得ない」と応じる。「スパイ防止法制定」と問われれば「百年は無理」と返す。「悪夢の民主党政権」と言われると「あのときの有権者はほとんど生きている。悪夢の復活はあり得る」と語る。子供の頃から人の嫌がる顔を見るのが楽しくてたまらない天の邪鬼だった。

本稿執筆の動機も主としてこの天の邪鬼にある。しかし反論を期待する気持ちも少しはある。最後までお読みいただき冷静かつ論理的な反論お叱りを期待する。

一、旧宮家復活養子縁組はなぜあり得ないのか。

理由その一、いったい誰が養子に応じるのか。終戦直後に臣籍降下した十一宮家、いや明治以降に降下した小松宮等を含む宮家で、一体誰が縁組に応じるというのか。あのKK騒動で小室家がどれほどプライバシーを暴かれ、バッシングを受けたのか。しかもあの騒動は臣籍降下する先の家柄が良くないという問題にすぎない。つまり、降下してしまえば平民なのであるから、いつかは忘れさられてしまい、国体にはなんの影響もない。しかし旧宮家復活養子縁組は違う。今の姫宮さまと結婚して、平民が皇族になるのである。まさに日本中が蜂の巣をつついたようになり、何千万人という「自称皇室の味方」が養子の人格とプライバシーを攻撃するにちがいない。しかも悠仁親王殿下に男子がお生まれになったら、こう言っては失礼不敬だが無用の長物になってしまうではないか。まさにわかりきったこうした難事を承知で、姫宮と結婚して皇族になりたい人がいるだろうか。仮にいるとしたら私は却って不気味なものを感じる。

理由その二、いったいどの姫宮さまが婿養子をもらうことを肯ずるのか。昨今、週刊誌は敬宮内親王殿下のお相手の旧宮家の御曹司を次から次へと出してきては部数稼ぎしているが、すべて揣摩、憶測のでたらめである。姫宮さまのお母様は好きになった人と結婚して入内した。ご自分だけは皇統維持のため、好きでもない男と結婚するのか。今どきあり得ないではないか。佳子内親王殿下がいみじくもおっしゃった「私は個人として姉の結婚に賛成です」。そう、皇族は時として個人になるのだ。平成二十八年夏、天皇陛下（現上皇）も譲位のビデオで「個人として云々」とおっしゃっているではないか。姫宮さま方だって個人として愛する人と御結婚されたいのだ。

理由その三、いったいどの政治家がこの問題に取り組むのか。

日本国憲法第十四条　すべて国民は、法の下に平等であつて、人種、信条、性別、社会的身分又は門地により、政治的、経済的又は社会的関係において、差別されない。

2　華族その他の貴族の制度は、これを認めない。

3　栄誉、勲章その他の栄典の授与は、いかなる特権も伴はない。栄典の授与は、現にこれを有し、又は将来これを受ける者の一代に限り、その効力を有する。

旧宮家復活は平民が皇族になることであり、この憲法十四条に抵触する可能性は否めない。「皇族は華族貴族とは違う、現に天皇は憲法に明記されているから、皇族も以下同様である」と言う人もいるが、強弁も甚だしい。無理がある。皇族は「その他の貴族の制度」に入ることは間違いない。左翼はすでにその論理で反対している。この憲法違反をクリアするのは並大抵のことではない。左翼はここぞとばかり憲法違反・戦前回帰を言い立てて、倒閣運動を展開するだろう。だから今、自民党内で誰もこのことを言い出さない。安保法制ではどれだけの騒動だったことか。史上最強の第二次安倍内閣で靖国神社参拝はどうなったのか。このていたらくで憲法十四条を突破しようとしたら、内閣の二つや三つは吹っ飛ぶだろう。一体誰が火中の栗を拾うのか。いるわけがない。しかも、栗を拾って火傷しても、悠仁親王に男子が生まれたら努力は水泡に帰す。まったく誰も手を出さない、言い出さないのは、政治的に正しい。ポリティカルコレクトネスなのである。

二、旧宮家復活養子縁組、なぜやってはいけないのか

理由その一、壬申の乱が再来する。

旧皇室典範第四十三条に「皇族は養子を為すことを得ず」とあり、さらに新皇室典範第九条に「天皇及び皇族は、養子をすることができない」とある。いったいなぜ、明治以降今日まで養子は禁じられてきたのか。明治二十二年の「皇室典範義解」を見よう。「本条は独り異姓に於けるのみならず、皇族互いに男女の養子を為すことを禁ずるは宗系紊乱(びんらん)の門を塞ぐなり」とある。

では、なぜ紊乱するのか。読者諸賢のご理解を得るために、あえて失礼不敬を顧みず譬え

話をしよう。敬宮さまが旧宮家○○宮家の御曹司と結婚養子縁組して、新宮家をお立てになったとする。業界みな万歳して喜ぶだろう。しかもそのお二人に男子がお生まれになったとする。仮に谷宮翔仁親王とする。一方、悠仁親王殿下が民間人小室圭子さんと結婚されたとする。こちらにも男児がお生まれになる、仮に室宮圭仁親王とする。皇位継承順位はどちらが上なのだろうか。もちろん、室宮圭仁親王の方が上である。しかし、「谷宮翔仁親王はお父様がアマテラス神武系男子、お母様は天皇の内親王、したがってアマテラス神武系の血は極めて濃い。一方、室宮圭仁親王の母は民間人である。どちらが天皇に相応しいのか」と言い出す輩が簇出するだろう。

古代にはこういうことがいくらでもあった。今、ネットで秋篠宮家バッシングが猖獗（しょうけつ）を極めている。今でも愛子天皇待望論というのがある。現在、女系女性天皇を主張している左翼も、我が国の万世一系に瑕疵（かし）がつく好機とばかり大騒ぎしはじめるのは間違いない。まさに皇統が紊乱してしまうではないか。さらに谷宮翔仁親王は東大を出てオクスフォード留学、スポーツ万能で背が高く甘いマスク。失礼ながら室宮圭仁親王はまったく逆だったら……甲論乙駁、日本中のネット界隈が喋喋喃喃（ピーチクパーチク）喧しく、壬申の乱保元平治の乱が再来しかねない。これが新旧皇室典範が養子を禁止している理由である。古来先人の言には重みがある、現代人はよくよく拳々服膺すべし。

理由その二、皇族が増えすぎる。

養子を認めると皇族が際限なく増えてしまい国庫を圧迫することになる。旧皇室典範で伊藤博文井上毅らが養子を禁じたのは、嗣子無き宮家が養子をとって、延命を図ろうとすること、つまりこれ以上の皇族の増加を阻止する意味もあったのだ。皇室典範に先立つこと四年明治十八年、華頂宮博厚王が嗣子無く薨去したため、お家断絶して宮家一つ減る、と伊藤博文等政府首脳は「安堵」したにもかかわらず、伏見宮家より養子愛賢王を迎えて、華頂宮家は存続してしまうという「事件」があった。それで養子が禁止されたのである。しかしまさか義解にそのような理由を書けるわけもなく、上述のように宗系紊乱のみ記載されることになったのである。さて、現在のように悠仁親王が天皇に即位されると、その時点で皇族が皆無になってしまうという危機の中にあって、いったい村田はなぜ皇族が増えすぎた過去のことを持ち出したのか、と思われる読者諸賢も多いだろう。

しかし、皇室典範は百年の大計、まさに百年後を考えて制度設計しなくてはならない。前述の室宮圭仁さまに男子三人、谷宮翔仁さまに男子三人お生まれになったら、宮家が増えて過ぎて国庫を圧迫することになるだろう。後日談だが旧皇室典範に明治四十年伊藤博文らが増補として追加した、「第一条　王ハ勅旨又ハ情願ニ依リ家名ヲ賜ヒ華族ニ列セシムルコトアルヘシ」、つまり「臣籍降下しても良いです、いや、できたら降下して欲しい」と言っている。これは当時急増する宮家皇族に財政上などの危機感を持った伊藤博文らが、渋っていた明治天皇を説得したものである。この時点ですでに皇太子（後の大正天皇）には健康な皇子三人（昭和天皇、秩父宮雍仁親王、高松宮宣仁親王）がお生まれになっていたため、明治天皇もこれ以上皇族を増やさなくても良いとお考えになり伊藤等の主張を容れたものである。

理由その三、君臣の義が乱れる。

前述の臣籍降下を謳った同じ増補の第六条の後半に「皇族ノ臣籍ニ入リタル者ハ皇族ニ復スルコトヲ得ス」とある。つまり臣籍降下は一方通行であり、その逆、つまりいったん臣下になった者は皇族に戻れない、戻ってはいけないというものである。これは二千六百年の歴史を持つ我が皇国の不文律を、このとき臣籍降下と同時に成文化したものである。

歴史を繙くと皇族から降下した貴族が皇族に復帰した例はほとんどない。いわんや天皇に即位した例は平安時代中頃（キリスト教暦八八四年）に光孝天皇の親王から源姓を賜り臣籍に降下した、定省親王しかいない。源定省はその三年後に皇族復帰して皇位についた。この宇多天皇が史上唯一の例である。今、旧皇族の皇族復帰を叫ぶ人たちは、必ずこの宇多天皇を持ち出す。

しかし考えていただきたい。宇多天皇は一旦臣籍に降下したといっても、源姓を賜ったれっきとした高級貴族である。庶民は降下も復帰も知る由もない。内裏の陛（きざわし）を降りたが、いまだ殿上人であるやんごとなきお方が、再び陛を上っただけの話しである。

しかし、現代の旧宮家は降下して七十年以上経つ。しかも、貴族に降りたのではなくただの平民となった。我々とまったく同じ生活をしてきたのである。俗塵に塗れ生活のため我々と同じように額に汗し、生きるためには多少のトラブルもあったことであろう。この様な平民凡人が皇族になる？　これは生まれたときからの皇族にも深刻な影響を与える。つまり元々の皇族に対して我々が漠然と持っていた、オーラ（神聖性）というか畏敬の念が消失して「なんだ、我々と同じ人間なのではないのか」と思われてしまうからだ。

私の尊敬する神道皇室研究家の葦津珍彦先生（明治四十二年～平成四年）が「君臣の分義」を強調していたことを思い出す。「君臣の義」「君臣の分義」とは聞き慣れないが、戦前の中学校を出たくらいのインテリならば誰もが知っていた。吉田松陰先生の「松下村塾の記」という有名な文書があるが、その中に「君臣の義、華夷の弁」とある。戦前は人口に膾炙したことばである。昨日まで「臣」だった仲間が今日「君」になる。忠誠心に翳りが生じないだろうか。君臣の義を分かつ牆壁がなくなり、皇族の権威・歴史的血統的な正統性が揺るいでしまわないのか。君臣の間が曖昧にならないのか。二千数百年の賢人たちの知恵の集積は重い。

想像してみていただきたい。一般参賀で長安殿にお立ちになりお手を振られる皇族の方々に並んで、元皇族の著名皇室評論家T氏が「お手」を振る？　その瞬間に「君臣の分義」は雲散し、元々の皇族からオーラ（神聖性）は霧消し、それこそ本当に皇室は終焉を迎えてしまうではないか。ま、ご本人も小恥ずかしくて手を振れないだろう。いや嬉々としてお手を振る？　よほどの厚顔でありこちらは万歳する気も失せる。

昭和五十七年、寛仁親王殿下が皇籍離脱希望を宣言するという事件があった。

現行皇室典範第十一条　年齢十五年以上の内親王、王及び女王は、その意思に基き、皇室会議の議により、皇族の身分を離れる。

② 親王（皇太子及び皇太孫を除く。）、内親王、王及び女王は、前項の場合の外、やむを得ない特別の事由があるときは、皇室会議の議により、皇族の身分を離れる。

寛仁親王殿下はこの②を適用されたいと望んだのだが、この条項は本人が心神耗弱でその任に堪えないと判断されたときのための条項であり、心身共に健康な殿下が離脱するのは無理がある。それはさて措く。これを聞いて天皇陛下は激怒されたそうである。結局、殿下は要望を撤回したが、陛下のお怒りは長く収まらなかったという。一体なぜ、陛下はかくもお怒りになったのか。想像をしてみていただきたい。殿下が降下して、一般人としてある企業に勤めたとする。ノルマが達成できない、仕事で失敗する、上司にひどく叱られたり同僚下僚に馬鹿にされたりする場面も失礼ながらあるかもしれない。「皇族って偉そうだったが、なんだこんな仕事もできないじゃないか、使いものにならない、左遷だ！」などと陰口を言われるかも知れない。そういったことは昭和二十一年に臣籍降下した十一宮家で多々見られたことだろう。庶民は雲上人だと思っていたが、ただの人だった。だからますます皇室に親しみを覚える人ばかりではない。ここぞとばかりに元皇族を馬鹿にしてかかってきて吹聴する輩が簇出してくるだろう。元殿下の不名誉は一人殿下のみならず、そのご兄弟にも従兄弟にも及び、「なんだあの一族は」と嗤う奴輩も出てくるだろう。昭和天皇はわかっていらっしゃったのだ。だから寛仁親王殿下の離脱宣言に激怒されたのだ。

元殿下は後悔して皇族に戻りたいと思っても「一方通行」であるからあり得ない。私は殿下のご人格を喋喃しているのではない。残念ながら今の日本には、殿下よりも社会人として有能だが、皇族をよく思わない輩も少なからず存在するということを謂いたいのである。繰り返すが、旧皇室典範増補の第六条「皇族ノ臣籍ニ入リタル者ハ皇族ニ復スルコトヲ得ス」先人の言たるや千鈞の重みがある。

理由その四、皇胤（こういん）が担保されない。

さらに決定的な理由を挙げる。敬宮さまのお相手〇〇宮家の御曹司、本当にアマテラス神武系の遺伝子を持っているのかわからないではないか。洵に失礼の極みであるが、あえて言う。御曹司の母親が夫ではなく他人（場合によっては外国人）の子を生して何食わぬ顔して育ててきたかも知れないではないか。繰り返すが失礼の極みであることはわかっている。古今東西、大奥、ハーレム、後宮は男子絶対禁制だった。なんと宦官などという一群もいた。理由は瞭かである。古人は男女の性（さが）というものを承知していた。だからこのような制度を作って、皇胤に不純が紛れ込まないように徹底的に管理したのである。八十年前に臣籍降下して一般人になった旧宮家、中には離婚再婚した家もある。あらゆる噂が行き交っている。仮に事実でなくても、皇室が嫌いな日本人や外国人がそういう噂を流すだろう。大坂夏の陣で「淀の方の産んだ秀頼は父親は秀吉ではなかった。不義の子である」という噂も徳川方が流したらしいが、あり得なくはない。一旦臣下に降りて俗塵に塗れたのであれば、つまり大奥も後宮もハーレムもなければ一〇〇％の皇胤は担保できない。「かへり身はせじ」と北辺に草むす屍、南溟に水漬く屍にならんとする壮丁の脳内に、皇胤への不安疑惑は一厘いや一毛も一糸もあってはならないのだ。

三、まとめ——養子論議は時期尚早

旧宮家復帰養子論議を秋篠宮家はどうお感じになっているだろう。仮に我が村田家に家督を継ぐ男子一人十五歳を想定しよう。周囲の人から復活だの養子だの今から言われるたらどうだろうか。我が息子が「結婚できない可能性がある。結婚しても男子を生さない可能性がある。だから今から準備しておけ」と言われたら、まさにマタニティ・ハラスメント、不愉快である。私は秋篠宮家の御心中を思うと、旧宮家復活論者に腹が立ってくる。

今まだこの時点で養子を考えるのは時期尚早ではないのか。今回の有識者会議の報告にもある。「悠仁親王殿下の次代以降の皇位の継承について具体的に議論するには現状は機が熟しておらず、かえって皇位継承を不安定化させるとも考えられます。（中略）悠仁親王殿下の次代以降の皇位の継承については、将来において悠仁親王殿下の御年齢や御結婚等をめぐる状況を踏まえた上で 議論を深めていくべきではないかと考えます」。その通りである。当たり前のことだが、私はあえて叫ぶ。現天皇は百二十六代である。百二十七代は秋篠宮皇嗣殿下、百二十八代は悠仁親王、百二十九代はその皇子である。この皇位継承順位を紊乱せんとする者は謀反人であり逆賊である。

今、我々がすべきことは養子云々ではない。KKバッシングに端を発した、皇室を誹謗中傷、罵詈讒謗するネット界隈を沈黙させ、御結婚に関して静謐な環境をつくることである。

（初出「保守」令和五年四月号）

尊皇家のたしなみとは

明治二十六年五月、皇太子（十三歳）の婚約が決まった。お相手は伏見宮禎子女王（七歳）である。家柄美貌性格知性すべて他の候補の姫君たちを圧倒していた。三十二年三月、女王の肺に異音ありとの診断があり、宮中の元老、重臣、侍医団が激論の末、天皇は逡巡の末、侍医団の強い主張を容れ、破談という苦渋の決断を伏見宮に伝えた。父娘の胸中はいかばかりだっただろうか。天皇は失意の女王にいたく同情し、金五万円（時価一億円か）を下賜された。

その年八月、九条家の節子姫が皇太子妃に決定し、翌三十三年にご成婚、三十四年四月に皇子が誕生したことは周知のとおりである。この間、天皇は禎子女王の縁談に心を砕き、女王は山内豊景侯爵に降嫁した。

三十五年、皇太子妃節子殿下は二人目の皇子（後の秩父宮）をご出産。その祝いに、侍医の岡玄卿が天皇に拝謁、祝辞を述べた。その際、岡は「山内家に嫁した禎子女王はいまだに孕まない。（岡の主張の通り）皇太子妃内定を取り消して本当によかったですね」と述べた。しかるに天皇は岡の言を遮って「禎子嫁して一年余、なお孕むことなきも、これ禎子一人の責任とは言えまい。汝の言うところ甚だでたらめである」と天機ことのほか斜めであった（『明治天皇紀』より村田意訳）。天皇は失意の禎子女王にここまで同情していたのであり、私はこのやさしさに感銘を受ける（余談だが禎子女王は長命だったが一子も産まなかった）。

大正十年、皇太子妃に内定していた久邇宮家の良子女王（十七歳）の家系に色盲遺伝子ありとして、山縣有朋らが婚約破棄を言い出した。所謂宮中某重大事件である。しかし皇太子と良子女王の教育係だった杉浦重剛らは、良子女王に深く同情し「婚約破棄したら年少の女王は自死を選ぶかもしれぬ」と、破棄に強く反対した。結果的に婚約は破棄されず、色盲の遺伝もなかったのである。この明治と大正の二度にわたる婚約破棄騒動を、一般の国民はほとんど知ることはなかった。

翻ってこんにちの眞子内親王殿下の御婚約についてはどうだろうか。ワイドショーの格好の話題となってしまっている。皇室は「開かれる」どころか、開かれ過ぎて天から転げ落ち、反日メディアによって愚民の蹴り弄ぶボールになってしまっている。私は眞子内親王殿下に深く同情する。同じ年頃の娘を持つ親の心境はいかばかりであろうか。仮に親戚知人にこのようなことがあれば、同情し見て見ぬふりをし、静かに解決を祈るだろう。ところが愚民ばかりか、尊皇家と自他ともに認める方々が、恰も皇室参与にでもなったかのように、そろって婚約反対を叫んで居酒屋で口角泡をとばし、若い二人を批判し恍惚となっている。あろうことかお相手の男性を朝鮮人認定して喜んでいる始末である。今は静観こそ尊皇家のたしなみではないのか。もとより憎むべきは「スクープ」であり、私はできれば不敬罪の復活、最低でも「貴」人情報保護法の制定を心から望む。将来私は眞子内親王殿下御降嫁の際は、二重橋前に一人佇立して、喉も裂けよと「ご成婚万歳」を叫ぶ。お相手が海の王子だろうと山の王子だろうと。

（「世論」平成三十一年二月号）

一時金支給を辞退

今朝の読売新聞一面トップで眞子内親王殿下の御結婚が報じられた。めでたい。本当にめでたい。安堵の気持ちでいっぱいである。昨年、我が豚女が三十二歳で嫁した。眞子内親王殿下は御年二十九歳だそうである。不遜極まりないが、あい次いで娘を嫁に出すような心境である。眞子内親王殿下は博物館学を学ばれたそうである。NYは博物館美術館の宝庫。スケールも違う、たっぷり楽しんでいただきたい。紅葉のセントラルパーク、五番街、ブロードウェイでミュージカルもいい。お若いお二人のお幸せを心から祈るばかりである。平成十七年十一月十五日私は皇居二重橋前に一人佇立してお車を待った。紀宮清子内親王殿下（降嫁して黒田清子さん）をお乗せしたお車が式場の帝国ホテルを目指して走りだした。私は一人で御成婚万歳を三唱（絶叫）したところ、お車の窓からお手を振っていただいた。思いだしても涙が滲む。平成三十年十月二十九日、明治神宮で高円宮家第三皇女絢子女王のご結婚式、数人の女性を連れてお祝いに駆けつけ、喉も避けよと万歳を三唱した。帰路、テレビ局のインタビューを受け、心から祝意を表明し放映された。今度のご成婚もどこかで万歳を三唱するつもりである。

しかし気になることもある。納采の儀も告期の儀も行われず、降嫁に係わる一時金支給を辞退するそうである。それは良くない。まだ独身の姫宮さまが五方いらっしゃる。悪しき前例になるのではないか。日頃、皇室を税金の無駄として目の敵にしている日本共産党は喜んでいるだろうが、辞退して本当に元皇族としての体面が保てるのか。そして何よりも不愉快なのは、左翼ならまだしも尊皇家を自称する輩、特に某有名皇室評論家などは、お相手を穢らわしいとまで蔑み「一円もやるな」と言っていることだ。一億五千万円など国会議員の歳費と比したら微々たるもの、歳費は毎年、一時金は文字通り一回こっきりであり、雀の涙のようなものである。婚約の儀も結婚式も挙げられず、一時金ももらえず、見送りもなく、前漢の王昭君さながらに悄悄（しょうしょう）として故国を去る内親王殿下。さすがに国民（某有名皇室評論家を筆頭に御結婚に猛反対した所謂尊皇家の一群＋週刊誌＋愚民等）をお恨みになるお気持ちになってしまうのではないだろうか。成田空港を離陸するとき、さばさばするどころか「こんな国に帰って来るものか！」と思ってしまわれるのではないかと危惧する。私は願う。儀式も一時金も通常通りとし、盛大にお見送りしたい。そして内親王殿下には、機窓から感謝を込められて故国を見下ろしていただきたいものだ。

（「新聞こくみん」令和三年十月号）

皇室特権？

「皇室特権？　それがどうした！」

悠仁親王殿下が筑波大付属高校に御入学された。有数の難関校であり慶賀に堪えないが、世間特にネット界隈では祝賀どころか嫉妬まじりのネガティブ情報が氾濫している。彼ら愛国尊皇を標榜しながら皇室を批判する輩は、「悠仁親王殿下は『皇室特権』で入学した、怪しからん！」と叫んでいる。

先頭を切っているのは愛国保守業界に最近参入してきたS氏である。S氏は眞子さま御結婚騒動で大活躍、小室圭氏の母親を刑事告発するなど、急先鋒だった。この告発は眞子さまのお心に大打撃を与えたようだ。S氏は余勢を駆って渡米されたお二人を「血税カップル」と決めつけ、厳しく批判し続けている。S氏は付属高校のOB・教員はじめ、母体の筑波大学長選挙にまで言及して、ご入学の背後に秋篠宮家の画策、つまり皇室特権の行使ありと批判している。また、御学友をして、殿下の御学力では（皇室特権といふ裏の手を使わなければ）合格するわけがない、と言わせている。何がなんでもケチをつけたいのだ。理由はどれもこれも揣摩、憶測、捏造、悪意に満ちた願望、論ずるにあたいしないガセネタばかりなのは、眞子さまの御結婚時と同工異曲である。

さらに三年後の大学進学、そして佳子内親王殿下降嫁と秋篠宮家攻撃の材料には事欠かない。彼らは舌なめずりし手ぐすねひいて待っている。御一家はさぞかし御心痛のことと拝察する。では、今春の高校御進学に、皇室特権が行使されたのだろうか。それには絶好の先例がある。

戦後、一般人と共に学習院大学に進学された皇太子殿下（上皇陛下）は、昭和二十八年六月のエリザベス女王戴冠式を挟む半年余り、欧米十四カ国を巡啓された。御公務での外遊だが、単位を与えるか否かで教授会は紛糾、皇太子殿下に意地悪したい左翼教授が、ここぞとばかり落第の判定を下し、殿下は単位不足で退学となってしまったのだ。したがって、上皇陛下の正式な御学歴は大学中退である。どうでも良いことだと思われるが、諸外国の王室は学歴を重視する。もちろん、そんなことで軽んぜられる皇室ではない。しかし、退学させられた殿下のお気持ちはいかばかりか。殿下はその後も級友との勉学を希望し通学されたが、飽くまで聴講生としての資格であり、クラブ活動への参加は禁止された。当時、馬術部主将だった殿下のお気持ちゃいかに。この時、昭和天皇は宝算数えて五十二歳。皇室の権威いまだ衰えず、と思われるが、皇室特権は行使されなかった。爾後七十年、式微する一方の我が皇室、今回も特権など行使できるわけがないではないか。仮に百歩、いや万歩譲って悠仁親王殿下が皇室特権で合格したとする。それがどうした！　将来日本の天皇になる殿下が最高の教育を受けるのは当然である。さらに言えば、皇室特権をフル稼働して、筑波大付属だの学習院だの国際基督教大学だの、物の数ではない、殿下のための御学問所を作ればよいのだ。大正三年三月、学習院初等科を卒業された東宮殿下（昭和天皇）は、中等科に進学することなく、高輪の東宮御所内に新築成った東宮御学問所に入学され、まさに至高の帝王学を学ばれた。この先例に倣うべし。

（「世論」令和四年四月）

皇室の衰微ここに極まれり！

室町時代は皇室が衰微（式微）していたという。御所は雨漏りし、皇族は粗衣粗食に堪えていたそうだ。江戸時代も然り。しかし、二千六百年の歴史で、令和の御代ほど式微したことはない。保守業界やネットには皇室を貶め蔑ろにする言論が溢れている。立憲共産党や朝日新聞や反天連（反天皇制運動連絡会）は天皇制度を批判し廃止を標榜しているのに対し、保守業界やネットの言論は、表向き尊皇を掲げながら皇族の人格を聞くに堪えない悪口で譏謗するものであり、左翼より遙かに品がなく卑しい。皇族方の御心中を察して余りある。この皇室批判、罵詈雑言は今に始まったことではない。平成になってから、ターゲットを変えながらも連綿と続いている。平成五年には週刊誌の虚偽記事で皇后陛下が失語症になられる悲劇があった。平成十年代になると、保守論壇の両横綱とも謂うべき上智大学の渡部昇一教授や電気通信大学の西尾幹二教授らが東宮妃殿下を猛批判、「公務をさぼって遊んでいる妃殿下はいらない、実家小和田家が引き取るべき」とまで言っている。この時は保守業界のほぼ全体が両教授に唱和して、妃殿下と小和田家を批判していたものだ。

さらに、飽くまで妃殿下をかばう皇太子殿下に対し、平成二十三年にはデヴィ夫人が中心となり、なんと宮内庁長官衆参両院議長宛「皇太子位を秋篠宮さまに委譲する事を求める請願書」なるものが作られ、広くネット署名が集められるという事態となった。臣下、いや国民、いや愚民が皇統に喋喋喃喃する？　明治二十二年皇室典範を作った井上毅等が聞いたら卒倒するだろう。

そして平成三十年からの眞子さま騒動である。有名皇室評論家T氏は小室氏を「寄生虫！

穢らわしい」とまで言っている。仮にも自分の思い人を寄生虫と呼ばれた眞子さまのご心中はいかがに。T大学のF教授「娘の教育がなっていない、追い出して尼寺に預けろ、馬鹿娘を育てた馬鹿親」などと叫んでいたことは本誌にも書いた。今年に入り、自称ジャーナリストS氏は叫ぶ「悠仁親王殿下の筑波大付属高合格も小室氏のNYの弁護士試験合格も秋篠宮殿下の口利きによる裏口、三の丸尚蔵館の博物館への昇格も殿下の画策、眞子さまのメトロポリタン美術館就職の援護射撃」。殿下は尚蔵館の美術品の国宝格上げを画策し、眞子さまが貸し出しのリベート営業をするそうだ。佳子さまが最近、猛烈に公務をされているのは、近々御自身の婚約発表を控え、降嫁一時金をもらいたい一心でむやみに働いているのだそうだ（姉の眞子さまは一時金ご辞退）。聞くも憚る人品卑しいゲスの勘ぐりに唖然とする。さらにS氏は「秋篠宮の皇位返上は正論だ」とまで言っている。皇統に対する謀反ではないか。

その昔、成人式等の晴れ着（振り袖）の袂に火のついた煙草を投げ入れ喜ぶ変態がいた。そのどす黒い怨念のようなものをS氏始めネットの皇室批判者から感じられる。

神武天皇や昭和天皇が、ご子孫がかくも侮辱されていると知ったら、富士山も大噴火するに違いない。嗚呼。

（本稿は日本国民党金友隆之氏の示唆によるものが大きい）

（「世論」令和四年十二月号）

第七章　時事雑感

今はやりのＳＮＳのなかでＦＢ（フェイスブック）にたまに投稿する。その中でいくつかを紹介したい。

ガセネタ

吾輩は莫迦である。名前は村田春樹。生まれてこの方ずっと莫迦であり。今後死ぬまで莫迦であり続けるだろう。であるから以下は読まないでいただいて結構だが、御用とお急ぎでない方はよかったらおつきあいください。

十年ほど前からわが保守業界の錚々たるインテリ先輩諸氏から、驚くような話を聞かされる。なんと「Ｓ学会の某名誉会長はとっくに死んでいる」というものだ。真面目な顔をして私に「村田さん。某会長はとっくに死んでるって知っているか？」と訊かれ、傍らにいた方が「そうそう、とっくに死んでるんだよね」としたり顔で言う。驚愕する。社会的に死んでいる、というのではない。生物的に肉体的に死んでいる、と主張するのだ。

あの大Ｓ学会の名誉会長が死んだのなら、それこそ大々的に報道されているはずだが、さて記憶にない。私も愈々惚けて来たかと思うが、この十年間でその死亡説を真面目に語られたこと十指に余る。死んでいるのに届けない！　そんなことがあるのか？　たまに遺族が仏さんの年金欲しさに届けないで、腐敗した遺体を家の中に保存して大騒ぎになることがある。

まさか某会長の遺族がご本人の年金目当てに死亡を届けていないのではないだろう。そんなことしたら法律違反である。戸籍法第八十六条に「死亡の届出は、届出義務者が、死亡の事実を知った日から七日以内に、これをしなければならない。○2　届書には、次の事項を記載し、診断書又は検案書を添付しなければならない。一　死亡の年月日時分及び場所　二　その他法務省令で定める事項」。違反すると罰則があり、過料数万円を科せられる。

この死亡説を唱えるインテリ先輩諸氏は、三国志の「死せる孔明、生ける仲達を走らす」を念頭に置いているのであろう。某会長が歿すると、学会は大打撃を被るからその事実を秘匿しているのだそうだ。しかし、考えてもみてほしい。秘匿してばれたら学会はそれこそ致命的な打撃を受けるだろう。その危険を冒してまでなぜ秘匿するのか。学会はすでに某会長の長男と三男により後継体制が確立し、盤石のシナリオができているではないか。秘匿するメリットなどどこにあるのか。私はその死亡秘匿説を諸先輩から聞くと必ず「入院しているのは知っています。しかし毎朝検温に来るナースのお尻を触ってますよ」と見てきたような嘘をつく。ガセにはガセで対抗するしかない。

インテリ諸先輩はなぜこのようなガセに乗せられるのだろうか。ちょっと考えればわかるではないか。児戯に等しいガセに簡単に騙される。これは、要は事実と願望を混同しているからだろう。某会長が憎くて憎くてしかたがない。だから死んでほしい、でもまだ死なない(現在九十二歳)。でも死んでいるはず、死んでいるのを秘匿しているに違いない、となるのだろう。

私は悲しくなる。こんな幼児でもわかるようなガセを信じるわが業界のインテリ諸先輩！溜息しか出ない。ガセを信じるか一笑に付すか。これはその人の人生の蓄積そのものだと思う。冒頭に述べたが、私は莫迦である。しかし、六十九年生きてきて、その間四十年間を社会人として働いて、膨大な人を見て、人間というものを見つめてきた。世に新しいことはないと達観するに至った。誰にも騙されない自信がある（女性は別。騙されたいが誰も騙しに来ない）。

江戸時代の農村の老婆が、目に一丁字なくても子孫に、「あの男は気をつけろ。近寄るな」と警蹕をならす。私も目に一丁字ないが、ガセには敏感である。要は騙される人は願望と事実を混同しているからである。

さて、少し脱線するが某会長が歿したら、大変な大葬儀が営まれるだろう。首相以下高位高官が弔問に、それこそ門前市を成すだろう。私が懸念するのは、与党が皇族の弔問を要求するのではないかということだ。そんなことはあり得ないと一笑にふせるならよい。しかし、与党の過去の皇室の政治利用を思いおこすと、あり得なくはない。後藤田正晴を見よ、金丸信を見よ、奴らがどれほど皇室を政治利用、いや、選挙利用をしてきたことか。今もまさに政治家や省庁の役人による「我田引菊」（村田の造語）が行われている。この問題は今日はさて措く。

本題のガセに戻ろう。ガセというというのは、事実を見ないで願望を事実と思い込み認識がおかしくなっているのである。

かつて、小沢一郎の母親は朝鮮人（済州島出身）説というのがあった。いまだに信じている人もいるかもしれない。要は小沢みたいな奴は日本人であってほしくない、朝鮮人であってほしい、という願望に足が生えて独り歩き（歩かせ）しはじめて、事実のように語られてしまうのだ。あの明晰な故渡部昇一先生まで「本多勝一朝鮮人説」を唱えて、後に訂正している。

さて、本題に入る。アメリカ大統領選挙でトランプは負けた。しかし、負けを認めたくないご本人とその熱烈な支持者が、選挙に不正があったと主張している。後進国によくあることだ。バイデン、トランプは全米で拮抗している。ということは、選挙管理委員会の中にもトランプ支持もいればバイデン支持者もいるだろう。そんなに簡単に不正が行われるものなのだろうか。

不正であってほしいという願望はわかるが、不正がなされるのはあり得ないではないのか。今、ＳＮＳで飛び交う選挙不正情報がどのような根拠に基づくのか、科学的なのか疑問を持つ。なぜなら、私の人生経験に照らして「そんなことして何の得になる。すぐにばれるよ」。民主党政権時、「尖閣で海保の巡視船がチャイナの漁船に体当たりされ、海上保安官一人が死亡した」という説が流れた。私は瞬時にガセだと判断した。人が一人死んで、どうやって死体を処分したのか、どうやって遺族の口を塞いだのか。あり得ないではないか。これが常識だろう。今回の大統領選挙も常識で考えてほしい。

さて、最後に他国の選挙結果に口角泡をとばしている諸先輩に言いたい。

「誰が大統領になろうと、問題は日本人なんです」と。近々総選挙があるだろう。私は懸念する。日本のマスメディアは野党を応援してきた。しかし、アメリカのメディアほどあからさまではなかった。アメリカのメディアは旗幟鮮明である。それを見て、模範としている日本のメディアは、今までは社の綱領だの放送法を遵守しているふりをする努力をしてきた。しかし、ご本尊のアメリカがあそこまであからさまにやっているのだ、綱領も放送法もへちまもあるもんか！　やっちまえー（いてまえー）となってきている。以前よりはるかにはっきりと立憲・共産党を応援・支持、与党攻撃に寧日ない。

確信する。十二年前の民主党政権発足前夜にそっくりになってきている。

今回のアメリカの民主党勝利に勢いを得て、日本のマスメディアは、こぞって勢いづいている。「やっちまえー、いてまえー！」である。麻生内閣は発足後、リーマンショックへの対応を優先するとして解散を見送り、解散の好機を逸して惨敗して政権を返上した。菅内閣はウィルス危機対策を優先して解散を先送りしている。既視感がある。惨敗の予感がする。

先輩諸氏はおわかり思う、憲政史上最大の議席を鳩山民主党に与えた「賢明」な有権者はいまだに健在ということを。

「賢明」な有権者が、たがが外れたマスメディアに乗せられた、あの悪夢が再現しないとは限らない。長々と書いたが、結論は「他国の選挙なんてどうだっていいだろ！　ただちに自分の選挙区の保守系議員の応援に駆け付けるべし」。

莫迦の生意気な寝言を長々とお読みいただきありがとうございます。

（令和二年十一月、米大統領選挙結果判明の直後にＦＢ投稿）

ＬＧＢＴ問題と核武装

首相官邸および議員会館の皆様、ぜひ聞いてください。いきなり尾篭な話で恐縮ですが、先日、私は渋谷駅の中の公衆便所で小用を足していました。そうしたらなんと、振り袖を着た美女が入ってきたのです。私はびっくりしました。そして驚くなかれ、用を足していた私の隣の便器で、振り袖の前をぱっぱっとはだけて、小便をし始めたのです。男性だったんです、この美女は。おそらく、渋谷駅の女性トイレは着替える人が多いらしくて、ものすごく混んでいて、間に合わなくなって、今回だけ男性トイレに戻ってきたのでしょう。

振り袖を着た女性もどきが男性トイレに入ってきてこれだけ驚くのだから、逆に女性トイレに男性が入ってきたらどうなるのでしょうか。女性の皆さんはもっとびっくりしますよ。最近、駅の女性トイレを男性が掃除している場合もあるらしい、そのときは女性トイレの入り口に「ただいま男性が掃除をしております。ご承知の上お使いください」という看板が下がっています。私の知人女性はそれを見ると、やめて他へ行くそうです。

ところが今、なんと男女別々のお手洗いをやめて、一緒にしてしまえという、こういう法案を国会に提出しようとしてるんです！　信じられません。一体、どこの馬鹿がこんなこと言ってるんですか。そんなことやるんだったら、まず首相官邸のお手洗いを全部男女一緒にしてください。まず隗より始めよ、というではないですか。議員会館のお手洗い全部を男女一緒にしてくださいよ。立憲・共産党の党本部のお手洗いをまずそうして見てください。党本部の女性職員はお手洗いを自民党本部に借りに行くのではないですか。

立憲・共産党にごく少数のＬＧＴＢの活動家が出入りしているでしょう。彼らはそういうトイレにして欲しいのでしょう。千人、万人に一人の活動家が圧倒的多数の女性に迷惑をかけるんです。立憲・共産党の中だけならまだしも、それを日本中に広めようと言うのですか。冗談も休み休みにしてください。

最近オープンした、歌舞伎町タワーに行ってきました。話題になっているジェンダーフリー・トイレに行ったら、平日の昼間なのにトイレに女性が行列している。わたしは急いでいたので、その脇を通って中に入ろうとしたところ、行列していた理由がわかりました。先頭の若い女性たちが、中に入るのを躊躇していて渋滞していたんです。中はまったく男女一緒なんです。

話は変わりますが、肉体は男性だが気持ちは女性だという人をトランスジェンダー女性、トランス女性と言うそうです。杉並区で、あるフェミニストの女性左翼議員が「区内の入浴施設はトランス女性の女湯への入浴を拒むことは差別であるから拒んではならない」という条例を通そうとしているんです。この条例が制定されたら、杉並区の入浴施設に行く女性はいなくなりますよ。今、そういう過激なことを言うのがかっこいい、先進的、進歩的。

ＮＨＫ教育テレビでは、朝から晩までＬＧＴＢだらけです。トランス男性を自称する若い女性が上半身真っ裸で出てくるのです。そして、その彼女だか彼だかは、日本中の温泉で私たちが男湯に入れるようにして欲しい！　と上半身裸で訴えているんです。こんなことを教育テレビでやっていいんですか。なにが面白いんですか。

今、埼玉県でパートナーシップ条例というのができました。全国各地でもやっています。どういうことが起きるか。住宅都市整備公団の団地に、男同士のカップルでも入れるようになる。ところが、それだけでは済まなくなってくる。確定申告の時に、男が男を扶養家族にしたり、勤めている企業から配偶者手当をもらおうとしたり、究極的には男同士で好きになって、妻子を捨てて、新しい男性の恋人が財産をすべて相続できるようにするんです。世の中が混乱しますよ。

彼らの次のステップは、男同士、女同士でも結婚できるように法律を作る、同性婚です。「外国はこうだぞ！　日本は遅れている！」と叫んでいるわけです。皆さんは「勝手にやらせておけ」とお考えになるかも知れません。しかしとんでもない。例えば、男同士の夫婦が赤ちゃんから養子をとって育てるとする。その内学校に行くようになって、「友達のおうちでママがいるのに、どうしてうちにはパパが二人なんだ」って嘆くようになる。「他の家にはパパがいるのにどうしてうちはママが二人なの」。そうした子供たちが、精神を病んだり、薬物に走ったり、自分も親同様にＬＧＴＢになってしまったりするんで、今、同性婚を認めた諸外国では大変深刻な問題になっているのです。

私はＬＧＴＢの人がテレビに出てこようと映画に出てこようと構いません。今でもチャンネル回せばＬＧＴＢだらけじゃないですか。それを差別はしません。

しかし、今後は学校の先生もＬＧＴＢだからといって採用を断ったら差別だと、大変なことになる。私たちの子供や孫の学校の先生がＬＧＴＢだらけになったらどうするんですか。校長先生はジャニー喜多川、教頭はマツコデラックス、担任は市川猿之助、部活の先生はおすぎとピーコ？　私はそんな学校に自分の孫を入学させたくない。

そんなことあるわきゃないだろう？　あり得ますよ。私のこういう考えは差別ですか？　異常ですか？

多様性を認める？　ダイバーシティ？　だったら私の多様性も認めてください。映画を見ていて美男、美女が出てくる。最後はこの美男とこの美女が結ばれるのかなーとはらはらどきどき見ていたら、なんと最後は美男同士のキスシーンで終わる？　そんな映画見たくない！　そんなこと言うのは差別ですか？　多様性として認めていただけないのですか？

私はこの法案を進めている議員さんに、最後に一言申し上げたい。ご自分の選挙区に温泉旅館を一つピックアップして、その温泉旅館の女湯にトランス女性の要望通り自由に入れる閑古鳥が鳴くのか。

ようにしてみてください。どういうことになるか。一体誰が入りに来るのか、繁盛するのか

　さて、広島サミットに話題を転じます。かつて安倍総理がオバマ大統領を広島に連れてきた。岸田総理は広島にサミットを引っ張ってきた。岸田総理、素晴らしいですよ。よくやりました。私は本当に嬉しいです。さらに、各国首脳を原爆資料館に連れていくそうです。良かったと思います。資料館で各国首脳に、どれだけ日本人が悲惨な目に遭ったのか、この原爆というのはどれだけ残虐なのか、じっくり説明してあげていただきたい。そして日本人がこれだけ悲惨な目に遭ったのだから、だからこそ日本だけが、日本こそが、核武装する権利がある。日本の核武装を認めていただきたい。こう訴えてください。

　その原爆資料館の近くに石碑があるそうです。「安らかに眠ってください、過ちは繰返しませぬから」。その石碑の前に各国首脳をずらっと並べていただきたいのです。十万人の一般市民が瞬時に焼き殺された。もう二度と繰り返させない、自分の子供や孫に三発目の原爆を落とさせないでもらいたいという切なる願いがこの石碑には込められている。三発目の原爆を子供、孫の頭上に落とさせないように努力するのが残された我々の使命ですよ。

　ところが「安らかに眠ってください？」どうですか？　北朝鮮も中国も日本にむけて核をぶっ放そうとしているじゃないですか。安らかに眠っていられないじゃないですか！　世界で三発目を落とされる可能性が一番高いのが日本だと言うじゃないですか。私は本当に安ら

かに眠ってほしいと思う。それが私たちの責務です。だからこそ日本は核武装しなければならないのではないですか。

考えてもみてください。どの国がロシアの国境を破って攻め込みますか。ウクライナは国境線まで押し返して、そこから先に踏み込みますか？　一歩も踏み込めないでしょう。できるわけがないでしょう。ロシアは核ミサイルを持って、完璧に核武装しているんだから。国連の常任理事国の米・英・仏・露・中を見てください。この五カ国で戦後自分の領土を一ミリでも他国に侵掠され女が強姦され子供が拉致された国がありますか。

なぜなのか、それは原爆を持っているからです。この五カ国は自分たちをP5と自称しています。Permanent（永久）な五カ国と称して、核保有と常任理事国の地位を独占しているのです。私が若い頃はイスラエルは戦争ばかりしていました。第一次中東戦争、第二次、第三次まであって、第四次のときはオイルショックで大騒ぎになりました、でも第五次ってないですよね。なぜ、イスラエルはアラブと戦争しなくなったのですか。イスラエルが核武装したからじゃないですか。

私が子供の頃、インドとパキスタンはのべつまくなし、戦争していました。国境紛争のカシミール紛争です。今、印パは全然戦争しないじゃないですか、なぜですか？　印パ両国が核武装したからです。私たちは、あの石碑に書いてある、「過ちを繰返しません」という約束を守らなきゃならないんです。なぜ、あのとき広島と長崎に原爆を落とされたのか。それはあのとき日本が原爆を持っていなかったからじゃないですか。

私たちは岸田総理にお願いします。広島で岸田総理がやるべきことは、あの石碑の前で各国首脳の前で、日本の核武装を説明することです。十万の御霊に対して「安らかに眠ってください。過ちを繰り返さない」という約束を果たすために、我々の核武装を認めてください。誰が異論を唱えられますか。反論できますか。九条の会の人たちは世界中の核兵器をなくせばあの石碑の約束を守れる、と叫んでいます。

世界中から核兵器がなくなるなんてことは有り得るんですか。もし、仮にそうなったら、各国は自分たちだけは密かに隠し持ち続けます。結局、核兵器がなくなるなんて有り得ないんです。今度のウクライナ戦争で、ウクライナは侵掠しなくても、侵掠されました。核武装している国から、核武装していないので侵掠されました。岸田総理、目の前のこの現実を国民に知らしめてください。愚かな民衆を率いて、その民族を絶やさないようにするのが為政者護民官の役割でしょう。

もう一度言います。過ちを繰り返さないために核武装宣言をしてください。

（令和五年五月九日　首相官邸前頑張れ日本・国守衆主催の街宣）

（呉竹会機関誌「青年運動」令和五年六月号）

業界人のたしなみ

本日令和二年十月二十四日（土）、拉致の国民大集会（千代田区平河町・シェーンバッハサボー砂防会館）に行ってきた。私は憲法改正と拉致の集会は足が重い。いつも絶望的になるからである。本日も迷ったが、行ってよかった。というのは、故横田滋氏の立派な祭壇があって、献花することができたからである。司会の櫻井よしこさんが、冒頭から感極まって絶句して、しまいに涕泣してしまった。あの厚い化粧も崩れてしまった。参加者一同の目は壇上の横田早紀江さんに注がれた。もうすべてを超越している表情だった。何百回も地獄を見てきたのだろう。詳細は報道に譲る。あらかじめウィルス拡散防止のため、ヤジ怒号は禁止されていたが、松沢成文（維新の会参議院議員）が「憲法改正なくして拉致は解決しない！」の発言の時は禁を破って、「そうだ！」の声があった。

私はこの集会を見ていて、既視感に襲われた。政府主催の「北方領土の日国民大集会」（二月七日）である。この業界の人でも、この日が北方領土の日ということをご存じの人は少ないし、まして大会に参加したことがある人はさらに少ないと思う。私は十年ほど前に一度参加して唖然とした。まさに消化試合というか、なんというか。悲しくてこれ以上は書けない。拉致も北方領土の後をひたすら追随している。

今日はウィルスの関係で空席が目立ったが、司会者から、会場が、厳守を指示された八百席が埋まって良かったという報告があり、拍手があった。私は小泉訪朝直後の有楽町東京国際フォーラムから溢れた群衆、手に手に「おさつ」を持ってカンパさせろーと声を嗄らす群衆が忘れられない。その後も日比谷公会堂に入りきれず公園で櫻井よしこさんが臨時集会を開いたこともあった。それを思うと寂しい限りである。しかし、私は自分が暇人なので参加しただけであり、今日参加されなかった方を非難する気は毛頭ない。

政治家の怠慢を非難し、風化を嘆く保守業界の活動家が、この集会当日に自分たちの集会、しかも拉致とは直接関係のない集会を企画運営をしている。それを見るに憮然とせざるを得ない。私は業界の集会でチラシを配る。それしか能がないからひたすら配る。しかし拉致の集会では、めぐみさんはじめ被害者家族を利用しているようなうしろめたい気持ちになるから配らない。ほかのチラシ配り常連者の姿も見えない。おそらくこれが「業界人のたしなみ」というものなのだろう。

繰り返すが、この日に拉致とは関係ない集会があちこちで開催されている。それぞれ邦家のために大事な集会講演会なのだろう。しかし私は拉致国民大集会当日に企画しようとは思わない。それが「業界人のたしなみ」というものだろう。

全国の業界団体がこの日に合わせて拉致の集会を開催してくれたら、家族会もどんなに嬉しいことだろう。しかしそこまでは言わない。せめてその日は自らの集会を自粛していただけないだろうか。繰り返すがそれが「業界人のたしなみ」というものではないだろうか。さらに欲を言えば自らのネットワークを通じて拉致国民大集会への参加を促していただけたら、家族会も喜ぶだろう。

二、三年前のことである。首都圏のある業界団体から私に移民問題での講演依頼があった。期日を聞いたら十一月二十五日だという。私は演題を「移民ではなく三島先生森田必勝さんの蹶起についてお話をさせてほしい」と言ったところ主催者が「何で?」と訊いてきたのには愕然とした。結局私には頼まないで他の方がその日に移民問題で講演をすることになった。十一月二十五日の意味をご存じないのだろう。仕方がない。非難する気もない。しかし私の気持ちとしては十一月二十五日には日本中の業界団体が、三島森田両烈士に関係する集会講演会以外を自粛してくれたら、と思う。それが「業界人のたしなみ」というものではないだろうか。

八月九日に右翼の街宣車がロシア大使館前に集結する。機動隊も動員対応に懸命である。二月十一日に業界の集会、講演会があちこちで開かれる。しかし紀元節とは違う趣旨の集会も多い。確かに重要なことなのだろう。しかし、この日に集まったら神武創業に思いを馳せるのが「業界人のたしなみ」なのではないだろうか。四月二十九日には昭和天皇はじめ歴代天皇の聖徳を偲ぶ集会を優先し、ほかの演題での集会講演会を慎むことが「業界人のたしなみ」ではないだろうか。十一月三日も然り。ほかの演題はほかの日にやればよい。限定されるのは年に数日に過ぎないのだ。

今日の拉致国民大集会で全国拉致知事連の会長黒岩祐治神奈川県知事が挨拶で、「拉致知事連には四十七都道府県のすべての知事が加盟している」と言っていた。だったら今日この日にすべての都道府県の主催で拉致の集会を開催すればよいではないか。いや、それを言う前になぜ全国の業界団体がこの日にやらないのだろうか。拉致問題に限らずなーんにもしていない私が生意気なことを言って申しわけない。お叱り非難覚悟です。

（令和二年十月二十四日ＦＢに投稿）

皇居前の第一生命が語る激動の昭和

いきなり私事で恐縮だが、私は昭和四十八年、二十二歳で第一生命保険に入社した。その頃、年配者は第一生命と聞くと「お、ＧＨＱの！」と言う。入社するまで終戦後ＧＨＱに接収されていたことを知らなかった。四月一日に入社式があり、社長に辞令をもらったが、その部屋は後から思えばマッカーサーの執務室の隣の最高司令官応接室だった。第一生命ビルの一階から六階まですべて、昭和二十年九月から昭和二十七年五月まで接収されていたことを知る人は多い。地下は四階まであるが、地下のすべては第一生命が引き続き使っていたそうだ。昭和二十七年の返還式の時、屋上の星条旗の替わりに日章旗をするすると掲げた、そのロープを引っ張ったという言う人が、私の入社時にはまだ会社におり、飲み会で時折その自慢話をしていた。皆は興味を示さなかったが、私だけ目を輝かせて聴いていたものだ。マ元帥の執務室は今でも丁寧に保存されている。ちなみに、その部屋も机も椅子も社長石坂泰三のものだった。

さて、今日はGHQの話しではない。この六階の元帥の執務室の同じフロアに会長室があった、そこで起こった悲劇について書きたい。

実は戦時中、第一生命ビルは四階から六階を東部軍に接収されていたのだ。会長室は東部軍司令官室となった。屋上には高射砲が設置され、実際にB29を撃ち落としている。また、戦死者も出ている。時に昭和二十年八月十四日夜。陸軍の一部将校が徹底抗戦を叫んで近衛師団長を殺害し玉音盤を奪おうとした。時の東部軍司令官田中静壹大将は近衛歩兵第一聯隊に急行し、偽命令書を信じて出動寸前の将兵を説得した。この後、近衛第三聯隊の将兵をも説得訓戒した。「潔く我々は敗れよう。そして責任を取ろう。軍司令官として私も立派に責任をとる覚悟を決めている。これが日本陸軍最後の姿だ」と声涙ともにくだる演説でいきり立つ将兵を鎮撫したのである。この鎮撫によって宮城は静まりかえることになった。

昭和天皇はこれをことのほか嘉賞され、十五日の夕刻、田中司令官に拝謁を申しつけた。そして、極めて優渥なるお言葉を賜ったのだ。田中司令官は帝都防衛任務を果たせず、宮殿全焼はじめ多くの犠牲者を出したことをお詫びした。そのとき陛下は、ハラハラと落涙したと伝えられている。司令官がおいとまを申し上げに来たことを理解されたのだ。その後、八月二十四日に川口放送所占拠事件が勃発、田中司令官は自ら説得に乗り込み、ここでも声涙ともにくだる演説をして将兵をなだめ、蹶起将校は投降した。田中司令官は安堵して、司令官室に戻り遺書を準備。深夜拳銃で自決を遂げた。遺書の横には観音経と谷口雅春師の「甘露の法雨」が置かれていた。

辞世の句「聖恩のかたじけなきに吾はいくなり」。

今日、八月二十四日は田中司令官のご命日。

司令官室はその後、会長室に復元され、今は空き室になっているそうだ。私は在職中に会議室に大きく掲げられた田中司令官の揮毫を見たことがある。

第一生命ビルは歴史を見つめてきた。今でも日比谷に健在である。

追記　今、『昭和天皇実録』を繙くと、将官の自決の報が頻々と陛下のお耳に届いていることがわかる。ご胸中いかばかりか。終戦時、自決将兵、大将から一等兵まで五百六十八柱のご芳名が『世紀の自決』（芙蓉書房）に残っている。

（令和三年八月二十四日ＦＢに投稿）

兵隊に思いを馳せる

今から百十七年前の仙台の陸軍幼年学校の話である。学校は第二師団第四聯隊に隣接していた。今の中学生の年齢の生徒が各学年五十人三学年が学んでいた。

夜、夕食が終わると生徒監（将校）が一言叫んだ。「本日、第二師団に動員下令せらる」。その瞬間、生徒たちは校庭に走り出て、隣の第四聯隊の兵舎に向かって、ありとあらん限りの軍歌を歌うというより怒鳴った。ついに戦争がはじまったのである。

そこに日清戦争の勇者である生徒監多門中尉がやってきて生徒たちを一喝した。「今、兵隊たちはどんな気持ちでいるのか、父母姉弟に思いを致す者、遺書をしたためる者も多いだろう。歌を歌うなら裏庭に行け」。これを聞いた生徒たちは、戦争というものはただ興奮する勇ましいものではないことを知った。その中に若き日の石原莞爾、菅原道大（陸軍中将）がいた。明治三十七年二月六日のことである。

二月十日にはついに開戦の詔勅が下った。「露国は既に帝国の提議を容れず韓国の安全は方に危急に瀕し帝国の国利は将に侵迫せられむとす。事既に茲に至る。帝国が平和の交渉に依り求めむとしたる将来の保障は今日之を旗鼓の間に求むるの外なし」。

第四聯隊は平壌から鴨緑江を渡り、九連城で最前線に出た。その後、摩天嶺、遼陽の会戦、沙河の会戦、黒溝台、そして奉天大会戦と、日露戦争の主要戦闘にすべて参加し、遼陽の夜襲では聯隊長自ら戦死した。大損耗だった。

私は地方に旅すると極力護国神社と陸軍墓地を参拝する。「明治三七年五月二七日金州城外にて戦死　陸軍一等卒誰々」と刻んである苔むした墓標が幾十と並んでいる。この日に激戦があったことがわかる。私は墓標に手を置いて、しばし思いを馳せる。敵味方の殷々たる砲声、耳を聾する吶喊（とっかん）、激しい銃声。塹壕に伏せる兵隊はどんな気持ちだったのだろうか。敵の機関銃が怖くはなかったのだろうか。

のちの軍歌「露営の歌」に「進軍ラッパ　聴くたびに　瞼に浮かぶ　旗の波」とあるが、遂に自分の部隊に突撃ラッパが喨々（りょうりょう）と鳴ったとき、どんな気持ちだったのだろうか、瞼には父母の顔が浮かんだのだろうか。塹壕を飛び出した兵隊に私は思いを馳せる。

（令和二年二月十日ＦＢに投稿）

領土・主権展示館に行こう！

韓国では老人から小学生に至るまで全国民が竹島の位置を「東経１３２度北緯37度」と知っている。例外はいない。なぜだろうか？　それは「独島はわが領土」という歌が昭和五十七年にかの地で大大ヒットして、いまだに歌いつがれているからだ。ユーチューブで歌曲も簡単に聞くことができる。軽快な曲で国民歌謡になっているのも頷ける。少し長くなるが全歌詞を引用する。

独島は我が領土（ドクト　ヌン　ウリ　タン）

（作詞・曲：パク・インホ　歌：チョン・クァンテ）翻訳　佐野良一

1、鬱陵島　東南方向船で200里　孤島ひとつ　鳥たちの故郷
誰が何と自分の国だと言い張っても　独島は我が領土

2、慶尚北道鬱陵郡道洞山64　東経132　北緯37
平均気温12度　降水量は1300　独島は我が領土

3、イカ　イイダコ　タラ　メンタイ　カメ
サケの卵　水鳥の卵　海女の待機所　17万平方メートル　井戸一つ　噴火口独島は
我が領土

4、智證王13年　島国　于山国　世宗実録地理志　50ページ3行目
ハワイはアメリカ　対馬は知らないが　独島は我が領土
（「対馬は知らないが」のところは別バージョンでは「隠岐の島は日本」となっている）

5、露日戦争直後に　所有者の無い島だと　わざと言い張っては本当に困るんだよ
新羅将軍異斯夫が地下で泣くよ　独島は我が領土
（ラップ部分）
タケシマとは何のことだ　竹島（チュクト）とはこれ又何だ
独島は厳然と独島だい　それなのに何で言い張る　言い張るのか
独島がうちの土地と知らないのか　壇君お爺ちゃんが怒ったら

おまえたちはひれ伏してしまうんだぞ　だからこれ以上言い張るな

思わず頬が緩んでしまうが笑っている場合ではない。翻って日本では小学生はおろか大学生ですら竹島も尖閣も択捉国後もどこにあるか知らないだろう。嘆いていても始まらない。しかし反撃のチャンスがやってきた。

「領土・主権展示館」が令和二年一月、都心虎ノ門にリニューアルオープンしたのだ。平成三十年一月にオープンした日比谷市政会館の七倍の広さで、展示も格段に充実した。この開館拡充にあたっては、領土議連会長元総務大臣新藤義孝先生の非常なるご尽力があったのだ。私は一月二十日リニューアルオープン初日に「守る会」の永井清之氏を先頭に、美女軍団約二十名で開場三十分前から行列し、並み居る韓国報道陣を驚かせた。中には遠く四国から来た美女もいて、報道陣は衝撃を受けたようだ。インタビューされた私は待ってましたとばかり、かの歌をもじって「ドクト　ヌンイルボン　タン」(独島は日本の領土)と歌って彼らを大いに喜ばせてあげた。もちろん翌日の報道を見ると、大々的に非難されていたが、それも嬉しいもの、日本ではほとんど報道されなかったのが悲しい。

ソウルにある「独島体験館」は小中学生で大賑わいだそうだ。嘆いても始まらない。真実は我が展示館にあり。こちらも若い人で満杯にしよう。国会議事堂や首相官邸にほど近く小中学生の修学旅行にはうってつけだ。まず会員の皆さん！　武漢ウィルスに負けず、家を出て展示館を訪問し、職員を激励し、展示館をより良いものに育てよう。

（「県土・竹島を守る会機関誌」令和二年）

朝ドラで流れた「暁に祈る」

ＮＨＫの朝ドラについて再び。今日（令和二年九月二十五日）はついに「暁に祈る」（野村俊夫作詞、古関裕而作曲）が登場した。伊藤久男がレコーディングするシーンで、なんと一番二番すべて放映された。ＮＨＫなのに珍しいことだ。私は落涙を禁じえなかった。加齢とともにますます涙もろくなっているのだ。この歌を聴きながらある情景を思いだした。ちょうど十年前、平成二十二年八月十四日、靖国会館での「チャイナの侵略から靖國・沖縄・台湾・日本を護る国民大集会」でのことである。沖縄からの報告ということで当時八十八歳の那覇市在住仲村俊子刀自（刀自は高齢女性への敬称）のお話二十分の最後の部分を思い出したのである。動画が残っているのでその部分だけ文字起こししてみた。以下、俊子刀自のお話。

「私の女学校時代は支那事変でした。出征兵士を見送りに授業を割いて、那覇の港に行くことが日課のようでした。その情景が今でも瞼に浮かびます。（ここで突然『暁に祈る』の二番を歌い出す）「♫ああ堂々の輸送船　さらば祖国よ栄あれ　遥かに拝む宮城の　空に誓ったこの決意♫」（満場の聴衆も唱和し、大合唱になった）。

俊子刀自は続ける。

「英霊の方々は（涙）最後まで祖国の繁栄を願って（涙、しばし絶句）国のために殉じてこられたんです、その遺志を今地上に生きている、日本に生かされている私たちが、その遺志を継いで国を守っていかないといけないと思います。それからもう一つ、戦後体制から脱却して、日教組教育から脱却して、本来の日本を取り戻す、建国の理念を取り戻して日出ずる国日本、大和の国日本（そうだ！　の声あり）、その精神を取り戻して日本を再建して、英霊の方々のご恩に報いたいと思います」（以下、拍手大喝采で聞き取れず）。

可憐な女学生が日の丸の小旗を振って、故郷を後に勇ましく出征する兵隊さんを見送る情景、送るほうも送られるほうも忘れられないだろう。まさに「暁に祈る」の一番「♫あああの顔であの声で　手柄頼むと妻や子が　ちぎれるほどに振った旗　遠い雲間にまた浮かぶ♫」という情景だったのだ。

個人的に俊子刀自から後日談を聞いたことがある。概略以下の如し。その後、小学校の先生になった俊子刀自は、児童を率いて那覇の港に兵隊さんの出迎えに日課のようにかけつけた。昭和十九年七月中旬、第九師団、第二十四師団、第六十二師団が逐次那覇港に上陸、それまで孤影蕭然としていた沖縄の諸島は、まさに剣光帽影で埋まったのだ。沖縄防衛のために、続々と輸送船から下船する完全武装の兵士幾万、見たこともない最新の大砲武器の数々。迎える若き女性教諭も児童も目を瞠り「ああ、沖縄を守りにこんなに来てくださった！」と涙を流して喜んだそうだ。県民挙げて大歓迎だった。だからこそ、県民挙げて軍に協力したのだ。沖縄県民かく戦えり。

余談だが、精鋭第九師団は台湾移駐を命ぜられた（痛恨の極み）。十九年十二月、第三十二軍から抽出され、一個聯隊ごとに那覇港から基隆に向かった。見送る小旗を振りながらも言い知れぬ寂寥感が漲(みなぎ)ったそうだ。今、沖縄戦は、日本軍がいかに住民をひどい目にあわせたか、という文脈でしか語られていないが、とんでもない。全国各地から集められた将兵は、まさに沖縄防衛のため死闘を繰り広げ、県民もまた小旗を振って歓迎した気持ちそのままに協力したのだ。

ついでだが昭和四十八年、那覇港に初上陸した自衛隊を日の丸振って歓迎したのが、俊子刀自の御夫君（故人）であり、その時付き従ったのが、のちに県知事になる翁長雄志氏（故人）と奥茂治氏（大活躍中）である。俊子刀自は九十八歳の今も矍鑠(かくしゃく)として、子弟はじめ沖縄の愛国者を叱咤激励しており、私も叱咤されている一人である。

さて、話は朝ドラに戻る。ドラマでは野村俊夫の作る詞が陸軍馬政課に六回も没になり、七回目に採用されたことになっている。史実も概ねその通りだが、馬政課の担当官の注文があまりにうるさく、ああでもないこうでもないと文句を付けられ、野村はしまいに「アーア」とため息をついた。その時、わきにいた古関裕而が見かねて「そう！　それを頭に使いなさいよ」と言った。そのおかげでやっと歌にまとまったのである、と伝えられている。古関自身は、「私の数多い作曲の中で最も大衆に愛され自分としても快心の作といえるのが『暁に祈る』である。私はこの詞を見たとき、中支戦線に従軍した経験がそのまま生きて前線の兵士の心と一体になり、作曲が楽だった。兵隊の汗にまみれ労苦を刻んだ日焼けした黒い顔、異郷にあって故郷を想う心、遠くまで何も知らぬままに運ばれ歩き続ける馬のうるんだ眼、すべては私の眼前に髣髴し、一気呵成に書き上げた」と述べている（自伝『鐘よ鳴り響け』）。

古関は歌を通じて心から兵隊を慰労慰藉したのだ。戦後「醤油を大量に飲んで徴兵逃れしてきた奴ら」（粕谷一希談）が古関はじめ信時潔、藤田嗣治らを戦争協力者と批判した。戦争協力だ？　それがどうした！　その時お前らは何をやっていたのだ！

私は、那覇港で小旗を振って兵隊さんを歓迎した若き日の俊子刀自をはじめ、あらゆる戦争協力者に心から感謝する。

（令和二年九月二十五日、ＦＢに投稿）

「ウクライナはネオナチだ？　それがどうした！」

日本は日英同盟で多大な利益を得てきたことは、本欄読者ならご存じのはずである。日露戦争の勝利には英国の支援が大きく貢献、和平を斡旋したのは米国である。第一次世界大戦ではドイツ帝国は日本のお味方を期待したが、あにはからんや日英同盟の誼で日本は英米にお味方、戦勝国となって多大な国益を得た。第二次世界大戦では、あろうことかチュートン族（ドイツ）にお味方して、アングロ・サクソン族を敵に回してしまい、悲惨な結末となった。戦後、サンフランシスコ講和条約のとき、左翼は全面講和と称してスラブ人との提携を叫んだが、日本はアングロ・サクソン族との提携を復活させ、七十年も平和と繁栄を享受してきた。アングロ・サクソン族との同盟こそ日本の国益になってきたのだ（以上は主として故岡崎久彦氏の論攷による）。

ところが昨今、ウクライナ戦争でアングロ・サクソン族の陣営から離れて、なんとスラブ人と提携、つまり、アングロ・サクソン族を敵に回せと言わんばかりの愚論が、我が保守業界で散見されるのは嘆かわしい。昭和十四年九月、チュートン族は飛び地であるダンチヒ回廊とケーニヒスベルクの直結と回収をポーランドに要求して、第二次大戦が始まった。

今、ソ連帝国の復活を夢見るスラブ族の王プーチンは、飛び地であり、領有しているケーニヒスベルク（露名カリーニングラード）への直結を狙って、その前段階としてウクライナに侵攻した。バルト三国とポーランドは、そんなことをされたら自分たちは再びスラブの軛に呻吟することになるので、ウクライナを必死に応援している（義勇軍という名で正規軍を送っているらしい）。こうしたスラブ人の西の隣国ウクライナ・バルト三国・ポーランドの奮闘はスラブ人の力を西に傾けさせ、東の隣国日本には大いにプラスである。今こそ日本は昭和十六年の関東軍特別大演習（関特演）に倣って北海道の自衛隊の北方領土奪還大演習を敢行し、極東ロシア軍を牽制すべきである。それがロシアを交渉のテーブルに着かせることにつながるだろう。岸田首相はノーベル平和賞をもらえるかも知れない。そこまではやれなくても、日本はウクライナ等ロシアの西の隣国を支援する事によって自らの安全を確保すべきである。

「ウクライナ政府は腐敗している」「ゼレンスキーはネオナチだ」、それがどうした。外交にはイデオロギーも人道人権もモラルもいらない。今さら左翼のいう人権外交をしてどうする。大英帝国の偉大な外交家H・パーマストンが言っている。「この世にあるのは永遠の国益だけだ」。日本は今後もアングロ・サクソン族との連携、つまり日米同盟を鞏固にし、さらに新日英同盟を結んで国益を確固たらしむべきである。習近平の尻にくっついてロシアのお味方などしたら、泉下の安倍晋三首相も、シベリアの凍土に万斛の涙を呑んで斃れた我が十万将兵の精霊も、日米合同軍事演習に汗を流す自衛官も激怒するだろう。中露は日清日露の昔から、今後数百年に亘り、日本の歴史的地政学的軍事的な大敵であり、繰り返すが対抗上アングロ・サクソン族との提携に一糸の乱れもあってはならない。

（「世論」令和五年五月号）

あとがき

日大教授の先崎彰容氏は九月十三日産経新聞「正論」欄で語る。合衆国大統領就任式典ではＰＯＷ（Prisoner Of War、捕虜）とＭＩＡ（Missing In Action、戦時行方不明者）が全面に強調される。もちろん、戦死者は言うに及ばす。国家・民族のために従容として戦地に赴いた人々のことを一刻たりとも忘れない国アメリカ。氏は「日本はアメリカよりも遙かに新しい国である」という。なるほど、建国八十年の日本国は未熟児であり、古事記にある水蛭子（ひるこ）である。何十年、何百年経っても一人前の国家にはならない。三島先生は晩年になって「蓮田善明がいったいなにに対してあれほど怒ったのか分かってきた」と言う。烏滸がましいが、私も晩年になって三島先生がなぜあれほど怒っていたのかわかってきたような気がする。でも私は怒らない。私は日本国という水蛭子に生まれて死んでいく。三島先生は言う。「蓮田善明は信ずべき時代の像があつたのでした。そしてその信ずべき像のはうへのめり込んで行けたのでした」。三島先生も森田さんも、信ずべき時代に行ってしまった。私にはお迎えが来るまで行くことができない。この水蛭子国で生涯を終えるしかない。しかし「信ずべき像」「信ずべき国」を垣間見ることはできる。

蓮田善明は最初の出征のとき「古事記」一冊だけを携帯したそうだ。後から「源氏物語」を郵送させたという。

幸い私は、川久保勲氏の主催する「古事記」の勉強会に参加を許された。「日本書紀」「万葉集」を小島恵子先生、「中朝事實」「國體の本義」「歴代天皇のみことのり」を佐藤健二先生というお二人の碩学に学んでいる。わかりやすく楽しく教えていただける。「壮にして学べば、即ち老いて衰えず、老にして学べば、即ち死して朽ちず」（佐藤一斎『言志晩録』）。別に朽ちたくないとは思わないが、こうして古典を学ぶことによって「信ずべき時代」を垣間見ることができるのだ。

前著『三島由紀夫が生きた時代─楯の会と森田必勝』では、世界一の三島由紀夫研究家の犬塚潔医学博士に多大にお世話になった。本著も医博には巨細にわたり御指導いただいた。茲にあつくお礼を申し上げる。

本書が世に出たのは、展転社の荒岩宏奨社長のおかげである。荒岩社長は蓮田善明の広島高等師範・広島文理科大学の後身広島大学を卒業、『国風のみやび』の著者でもあり、名実ともに蓮田善明の衣鉢を継ぐ方である。

福岡の川井正彦氏、熊本の永田誠氏にもお世話になりました。あつくお礼申し上げます。

令和五年九月十八日

村田春樹（むらた　はるき）

昭和 26 年東京生まれ。早稲田大学政治学科卒業。

三島由紀夫率いる楯の会会員でもあった（在籍当時最年少）。全国で密かに決議されている、自治基本条例阻止のため講演会活動を行う。

自治基本条例に反対する市民の会会長、外国人参政権に反対する市民の会東京代表。今さら聞けない皇室研究会顧問。

著書に『日本乗っ取りはまず地方から』『三島由紀夫が生きた時代　楯の会と森田必勝』『ちょっと待て！自治基本条例』（いずれも青林堂）『今さら聞けない皇室のこと』（展転社）がある。

三島由紀夫は蓮田善明の後を追った

開かれた皇室への危惧

令和五年十一月二十五日　第一刷発行

著　者　村田　春樹
発行人　荒岩　宏奨
発　行　展　転　社

〒101-0051　東京都千代田区神田神保町2-46-402
TEL　〇三（五三一四）九四七〇
FAX　〇三（五三一四）九四八〇
振替〇〇一四〇―六―七九九九二

印刷　中央精版印刷

定価［本体＋税］はカバーに表示してあります。

ISBN978-4-88656-569-3